EL BARCO DE VAPOR

Pandillas rivales

Javier Malpica

Primera edición: junio 2004
Quinta edición: octubre 2006

Dirección editorial: Elsa Aguiar
Ilustraciones y cubierta: Claudia Ranucci
Versión adaptada del original para su publicación en España

© Javier Malpica Maury, 2002
© SM de Ediciones, SA de CV, México, 2002
© Ediciones SM, 2004
  Impresores, 15
  Urbanización Prado del Espino
  28660 Boadilla del Monte (Madrid)
  www.grupo-sm.com

CENTRO INTEGRAL DE ATENCIÓN AL CLIENTE
Tel.: 902 12 13 23
Fax: 902 24 12 22
e-mail: clientes@grupo-sm.com

ISBN: 84-675-0210-X
Depósito legal: M-41.109-2006
Impreso en España / *Printed in Spain*
Gohegraf Industrias Gráficas, SL - 28977 Casarrubuelos (Madrid)

Para aquellos originales exploradores:
Adriana, Pedro, Mayra, David, Aída,
Enrique, Mague, Juan, Toño, Vladi y Roger

1

¡ODIO los domingos por la tarde! ¡Los odio! Yo creo que es porque después de un domingo siempre viene un lunes y los lunes son los días más horribles y espantosos del Universo. Sí, de todo el Universo. Porque yo creo que si hay vida en otro planeta y los seres de ese planeta tienen lunes, seguramente también los deben de odiar, porque aunque tengan pistolas de rayos láser y armas atómicas, nada puede matar a un lunes, son indestructibles. El odio a los lunes no es cosa solo de los niños, a veces me ha tocado escuchar cómo papá se queja un domingo por la noche, cuando ya está acostado y todo, y le dice a mamá con una voz que da pena: "¿Por qué no es viernes?". A lo que mamá le responde: "¡Siempre dices lo mismo! ¡El tiempo no puede dar marcha atrás! ¡Duérmete, que mañana tienes que madrugar!".

¡Sería genial poder rebobinar el tiempo, tener un reloj mágico que te permitiera convertir todas las tardes de domingo en noches de viernes, los lunes en sábados y los martes que se escaparan por descuido, otra vez en viernes! Pero supongo que eso es imposible, ya que todos nos pasaríamos la vida viviendo en sábado y domingo por la mañana (que son también muy buenos) y seguramente el gobierno no lo permitiría porque nadie estudiaría ni trabajaría.

El caso es que papá se queja precisamente por eso, porque tiene que ir a trabajar todos los lunes y claro, todos sabemos que el trabajo no es algo que pueda hacer feliz a nadie; es bien sabido que el trabajo es un castigo que Dios le dio a Adán (que fue el primer hombre en este planeta) y a todos los hombres que le siguieron. "Te ganarás el pan con el sudor de tu frente", algo así le dijo, y claro, sudar nunca es muy agradable cuando eres adulto, y si no me créeis, podéis oler las zapatillas de vuestro papá o de vuestro tío después de que hayan jugado al fútbol toda la mañana. En fin, el caso es que papá no debería quejarse, pues al menos parece que ningún hombre que haya existido en todos los años de la historia del mundo se haya salvado de trabajar, y puede ser que ninguno lo haga.

Tal vez sea necesario decir que mi padre trabaja como contable, y no estoy muy seguro de qué significa eso, pero debe de ser algo tan malo como ser esclavo o estar preso, porque a papá no le gusta nada. Hace unos dos años, cuando yo era un poco más pequeño, quise saber qué era eso de ser contable y le pregunté si en su trabajo contaban cuentos; él solo se rió, y en vez de contestarme lo que hacía, me dijo: "Eres muy pequeño para entenderlo". ¡Odio esa respuesta! No sé por qué, pero siempre que un adulto me dice eso de "eres muy pequeño" siento que en realidad no sabe qué contestar y que está usando una de esas respuestas que solo cuando eres adulto se te está permitido usar. Y es que lo comprobé cuando mi tía Roberta me dijo que no entendía por qué me peleaba tanto con mi hermana, y yo, recordando a mi padre, le dije orgulloso: "Eres muy mayor para entender". Y bueno, lo que mamá opinó de mi respuesta, ya que para mi mala suerte me escuchó, no fueron palabras, sino gritos que me hicieron entender que hay ciertas cosas que los niños tenemos prohibido decir, como las groserías (de las que ya os contaré). Es injusto que haya tanta desigualdad entre pequeños y mayores, pero en lo que sí nos parecemos los niños y los adultos, o al menos papá y yo, con todos los años que me lleva, es en nuestro odio al lunes.

Ya sé que papá tiene que ir a "contar" algo muy desagradable todos los días para que podamos comer, pero yo estoy seguro de que lo que la escuela nos obliga a hacer a todos los niños es mucho peor: Son asquerosos las redacciones y los quebrados, las divisiones (sobre todo las de dos cifras), las copias, pero sobre todo los exámenes y las tareas. Y las peores tareas de todas son las que te ponen los viernes, porque siempre acabas haciéndolas los domingos por la tarde, cuando el sol se pone anaranjado y ya puedes mirarlo sin que se te dañe la vista. Tal y como ahora, que estoy haciendo decenas de sumas de quebrados dificilisísisimas justo cuando se está acabando el día, y no lo puedo evitar pero, como todos los domingos a esta hora, me está doliendo el estómago; y es que sienta muy mal darse cuenta de que en vez de estar yendo en bicicleta, tienes que quemarte el cerebro con las matemáticas. Siempre que estoy con dolor de estómago y el sol naranja, pienso en que debería escuchar a mamá y hacer la tarea el viernes por la tarde, después de comer, pero ella no entiende que a todos los niños nos entusiasma estar por fin libres de una semana de estudios, que lo último en lo que se piensa un viernes por la tarde es en un libro y un cuaderno. Necesitaría uno estar superloco para hacerlo. Y no hay ningún niño que lo haga. Bueno, hay que reconocer que hay uno que otro chiflado... como mi hermana.

Mi hermana es uno de esos seres raros a los que les gusta ir a la escuela, que tienen todavía los libros bien forrados cuando ya está terminando el año, que no ensucian su uniforme en el recreo y que hacen su tarea el viernes justo después de comer. Esa es una de las razones por las que me cae gorda. Sobre todo porque, si ella ya tiene la tarea hecha y vamos a la misma clase, digo yo: ¿qué le costaría pasarme aunque sea uno o dos quebrados, al menos este de doce novenos más cinco séptimos que, por más que me esfuerzo, no me sale? Es cierto, una vez que me dejó copiarle una división mamá nos castigó, pero debería tener un poco de piedad de mí. Ella sí está allá afuera en el jardín con la tonta de su amiga Pilar, y ni siquiera están haciendo algo provechoso. Sentadas en la hierba y conversando. Claro, las niñas, como las madres, no entienden lo que es la verdadera diversión. Ahí llega Roxana. Por esa niña se mueren varios en la clase, sobre todo René, que es mi segundo mejor amigo, y a pesar de ser rubio y alto y superbueno en los deportes, es lo que se dice muy tímido y la verdad no muy inteligente y por eso yo creo que no le hacen mucho caso las niñas. Sí, Roxana es guapa, más que mi hermana al menos, tiene un cabello negro y lacio que se le ve bien y una cara como diría mamá "de niña que no rompe un plato", y no está gorda como Pilar, pero yo no entiendo tal alboroto por una niña solo porque tiene los ojos azules. Ahora sí, ya están las tres hablando. Nada interesante puede estar pasando ahí.

Yo no sé cómo podemos ser tan distintos mi hermana y yo. Ya sé que somos niño y niña y que la diferencia entre los hombres y las mujeres es enoooooooorme, pero parece lógico pensar que dos niños que nacieron el mismo día tienen que parecerse un poco. Sin embargo, fuera de que los dos tenemos el cabello y los ojos castaños, somos tan diferentes como un dinosaurio y... una cucaracha (claro que mi hermana sería la cucaracha). Mamá nunca nos ha querido decir quién nació antes, siempre nos dice: "¿Para qué lo queréis saber? ¿Para tener otra razón para pelearse?". Pero yo estoy seguro que soy el mayor. Claro que Susana opina al revés.

¡Diablos! Si no fuera porque mamá siempre esconde en la parte más alta de la alacena los cuadernos de la tonta de Susana después de que hace la tarea, yo ya le habría copiado al menos la mitad de los quebrados y podría ir a casa de Quique, que a pesar de ser un poco bajito –lo cual hace que todos crean que va a segundo y no a cuarto–, un poco fantasioso y usar gafas de culo de vaso, es mi mejor amigo. Es quizá lo que me tiene más enfadado. Y es que hoy mi tío Paco nos ha contado a Susana y a mí (sí, para mi mala suerte ella también lo ha escuchado) una cosa genial. Y tengo que ir a contársela a mis amigos. Pero creo que tendré que esperar hasta mañana a la hora del recreo para explicarles el tremendo plan que se me ha ocurrido.

1

MI tío Paco es, aparte de guapo (a mi amiga Pilar le encanta), una de las personas más interesantes que conozco. Aunque yo sea su sobrina y sea pequeña, no creo que esté mal que diga que un señor es guapo, como cuando las niñas de mi clase opinan que Leonardo Di Caprio es guapo. Me parece rarísimo que mi tío no se haya casado aún. Claro que no es ningún jovencito, tiene unos treinta años y mamá, quizá por eso, siempre está tratando de buscarle novias, porque como ella se casó a los veintitrés años, le debe de parecer que mi tío tarda mucho en eso de casarse. Pero mi tío no está muy preocupado por el asunto, y tal vez tenga razón, porque aunque sí he oído hablar de mujeres que se han quedado "compuestas y sin novio", nunca he oído de ningún hombre que se haya quedado "compuesto y sin novia"; es más, Roxana, una de mis mejores amigas y la niña más guapa de la clase, me contó cómo su abuelo, que llevaba unos años viudo, se volvió a casar cuando tenía sesenta años, nada menos que con una muchacha de veintiocho. ¡Guau! Así que mi tío no debe preocuparse, porque si los abuelos pueden casarse con chicas jóvenes, con mayor razón los tíos. Claro que esto es una injusticia. ¿Por qué las abuelas y las tías que tienen cuarenta años no pueden casarse con jóvenes de veinte años? Como mi tía Roberta, que no está del todo mal salvo que tiene como cuarentaynosecuántos años. Supongo que son de las cosas que podré entender mejor cuando crezca. Pero ahora me parece una tremenda injusticia.

Bueno, estaba hablando de mi tío, y lo que iba a decir es que él es muy interesante porque ha estudiado arqueología. Y cuando estudias eso automáticamente te dan permiso para buscar tesoros perdidos y momias. Nos ha contado sus viajes a las ruinas mayas y a las de Oaxaca. Creo que todavía no ha encontrado momias ni tesoros, pero si todavía está a tiempo de casarse, con mayor razón de buscar el tesoro perdido de Cuauhtémoc.

A papá no le gusta que mi tío Paco nos cuente cosas; siempre que lo hace pone la misma cara de asco que pone un bebé cuando le das un poco de limón. En una ocasión escuché que papá le decía a mamá: "No sé por qué lo consientes tanto si no es más que un embustero" (busqué esa palabra en el diccionario porque no me pareció que sonara muy bien y, efectivamente, encontré que embustero es algo así como mentiroso). A mamá no le gustó nada que papá hablara así de su hermano, dejó de cocinar y lo defendió mucho, y puedo entenderlo, pero no solo porque mi tío sea su hermano, sino porque mi tío es muy agradable y estoy segura de que no es ningún embustero. Yo, en cambio, no podría defender a mi hermano, porque él mismo nunca me ha defendido y puedo apostar lo que sea a que no me defenderá jamás. Simplemente el otro día, cuando un niño de sexto me dio un pelotazo que me sacó el aire y me hizo llorar, mi hermano, que vio todo, en lugar de decirle algo al tonto ese que me pegó, hasta se rió. De manera más valiente se portó mi amiga Pilar, que aunque parece gorda, más bien es como mamá le dijo el otro día: robusta y llenita; y es sobre todo muy fuerte, y aunque todos los niños la llaman gorda, en realidad siempre lo hacen a sus espaldas. Todo el mundo le tiene miedo desde que hizo llorar con un solo golpe a Tony Palafox, el niño más grande y temido de la escuela, que todos dicen que tiene quince años y que una vez le mordió la cabeza a una rata (yo la verdad creo que son puras exageraciones, pero una cosa sí me consta: Tony Palafox es un vago que ya ha suspendido al menos dos veces sexto y se merecía el golpe que le dio Pilar, por decirle, y no precisamente a sus espaldas, "hipopótamo"). Y cuando me dieron el pelotazo, Pilar no tuvo que darle ningún puñetazo a nadie, simplemente tomó la pelota y con una gran patada la pasó por encima del muro de la escuela y terminó con el partido de fútbol de los niños, que no se atrevieron a protestar (ni siquiera mi hermano). Por eso yo decidí que si un día me caso y mi esposo dice algo que suene feo de mi hermano, como embustero, la verdad es que ni siquiera me voy a preocupar por defenderlo y seguiré con lo mío.

Bueno, pero estaba hablando de mi tío, y el caso

es que yo creo que papá se pone de malas cuando mi tío comienza a contar sus aventuras porque le debe de tener un poco de envidia, y es que mi tío no trabaja en una oficina como papá, sino al aire libre, y hace cosas muy divertidas, como escalar montañas y saltar en paracaídas. Ya nos prometió a mí y a mi hermano que nos va a llevar al Iztaccíhuatl, en cuanto tengamos doce años. Y aunque todavía faltan dos años para eso, obviamente Alfredo protestó terriblemente: "¿Pero, por qué va ir Susana? Eso es cosa de hombres, no de niñas". Mi tío inmediatamente me defendió, claro, él no es un tonto de tres al cuarto, y le comentó a mi hermano que muchas veces las niñas somos más valientes que los niños. Mi tío propuso que incluso podría invitar a Roxana y a Pilar, y aunque Alfredo dijo que él invitaría a todos los niños de su clase, no pudo evitar poner esa cara de asco, igualita a la que pone papá cuando escucha a mi tío.

Hoy mi tío ha venido a comer con nosotros. Hemos ido mis padres, mi hermano y yo a un lugar donde venden tacos. A todos nos gustan mucho, pero no vamos casi nunca porque dice mamá que tienen mucha grasa y una cosa llamada colesterol (que es como la grasa, pero más peligrosa, porque si comes mucha puedes hasta enfermarte del corazón), por lo que no es bueno comer demasiados. Papá "siempre se excede", según dice mamá, y terminan discutiendo, porque papá por un lado dice que la carne de cordero no es tan grasienta como la de cerdo y mamá por su parte dice que es al revés, y luego le nombra el colesterol y acaban hablando hasta de lo que desayunó papá esa mañana.

Bueno, después de comer y mientras mis padres tomaban un café, mi tío nos llevó a que viéramos el hoyo que utilizan para hacer la barbacoa. Tomar café es lo que mis padres hacen mejor juntos, pueden tomarse dos o tres tazas seguidas sin importarles si en ese momento estalla una guerra o cae una nevada (claro que sería muy raro que en el Estado de México nevara. Sí, ya sé que en Toluca nieva a veces, pero nosotros vivimos bastante lejos de Toluca, en un municipio que se llama Atizapán).

Nos situamos ante un gran hoyo con las paredes de ladrillo y mi tío nos explicó a mí y a Alfredo cómo hacían la barbacoa; yo, sorprendida, le dije que debía de leer mucho para saber tanto. Mi tío me miró, me sonrió, luego miró a mi hermano y nos preguntó si podíamos guardar un secreto. Está claro que a mi hermano no le gusta que tengamos que compartir algo, pero los dos guardamos silencio y escuchamos a mi tío. Nos dijo que él no sabía todo lo que sabe por la escuela o los libros, que gran parte se lo debe a que él es un Explorador de la Estrella Polar. Obviamente nosotros pusimos cara de "¿y eso qué quiere decir?" y mi tío continuó su relato. Nos dijo que cuando tenía nuestra edad había formado con varios amigos un club secreto, era un grupo de investigadores y exploradores llamado "Los Exploradores del Mar de las Tempestades", que se dedicaban a estudiar los misterios del mundo. Nos contó que gracias a sus investigaciones aprendieron mucho de la vida, pero que sobre todo, esos años le habían sembrado, así lo dijo, la semillita que le haría desear experimentarlo todo siempre, más allá de los libros y las escuelas. Nos preguntó si nunca se nos había ocurrido formar un club así. Alfredo y yo nos miramos como esperando saber si alguno de los dos en algún momento había tenido esa idea. Pero está claro que mi hermano jamás lo había pensado. Ambos estábamos encantados, mi tío nos dijo que ellos habían construido una casa sobre un árbol, y que incluso se habían hecho unos carnés.

Una vez que terminó de revelarnos su secreto, ni Alfredo ni yo pudimos decir nada. Lo que nos había dicho mi tío Paco me había parecido maravilloso. Mi hermano tenía esa mirada perdida que pone cuando mira las naves espaciales en la juguetería, así que seguramente él también estaba fascinado por la idea y no me quedaba ninguna duda de que él y sus tontos amigos formarían pronto su club de tontos, pero no importaba. Lo importante era que yo también lo podría hacer.

Mi tío se despidió de nosotros. Alfredo empezó a molestar a papá con que ya nos fuéramos, pero a pesar de sus insistencias, mis padres tomaron varios cafés más. Sabía lo que Alfredo quería: llegar a casa e ir a buscar a Quique, que es su mejor amigo y un asco. Siempre está despeinado, le encanta pegar mocos en los pupitres y, bajo sus enormes gafas,

tiene una mirada extraña que me recuerda a los científicos locos de las películas de terror viejas. O peor, podía decírselo al bruto de René, que aunque a primera vista no tiene mala pinta porque es un niño rubio, limpio y lo que se diría atlético, en cuanto lo oyes hablar (si es que ocurre el milagro de que hable, porque es supertímido) te das cuenta de que no hay mucho dentro de su cabeza. Sí. El plan de Alfredo seguro que era ir a contarles a ese par lo que nos acababa de confiar mi tío, pero yo sabía que no podría hacerlo.

Y tenía razón. Apenas bajamos del coche, Alfredo le pidió permiso a mamá para ir a casa de Quique y ella, por supuesto, se negó, ya que aún no había hecho su tarea; como siempre, la había dejado para última hora, y más pensando que la maestra nos había puesto más de quince quebrados. Yo sabía que mi hermano le teme terriblemente a dos cosas: a mi muñeca rusa (aunque no sabe que lo sé) y a los quebrados; por eso, intentó chantajear a mamá, primero rogando: "Porfa, porfa, ma. Porfa", luego prometiendo cosas que mamá más que nadie sabía que nunca cumpliría: "Anda, te prometo que será un ratito, que lavo los cacharros, que no vuelvo a molestar a Susana" (¡ajá!), pero nada le resultó, así que al fin tuvo que resignarse a terminar su tarea, como de costumbre, un domingo por la tarde.

Yo en cambio sí pude hablar por teléfono con Pilar y con Roxana para que vinieran a mi casa y así poder contarles mi plan.

Primero llegó Pilar, pues ella vive apenas a cuatro

casas de la mía, y mientras esperábamos a Roxana conversamos un poco sobre lo que habíamos hecho por la mañana. Poco después llegó Roxana, con su vestido verde, ese que le está tan bien, y no puedo negar que sentí un poco de envidia de la niña más guapa de la clase, con sus ojos azules y su cabello negro tan lacio, y aunque yo no quiero novio ni nada por el estilo, me dio envidia recordar que varios niños de la clase están locos por ella. Y Roxana, claro está, no se decide por ninguno de sus enamorados. Porque es bien sabido que cuando eres guapa, puedes darte ese lujo. En eso estaba pensando cuando miré hacia el cuarto del cavernícola de mi hermano y me topé con su mirada, seguro que seguía sin hacer ningún quebrado, me di cuenta porque me sacó la lengua (claro, yo también se la saqué).

Pilar me dijo:

—Todavía no puedo creer que tú y Alfredo seáis mellizos.

Y yo tampoco lo creo. Muchas veces ha pasado por mi cabeza la idea de que tal vez nos mezclamos con otros mellizos en el hospital y que mi verdadero hermano, un ser inteligente y simpático, está en este momento con una afortunada niña que no puede creer tener un hermano tan bueno y considerado. Es gracioso pensar que hay una cosa que Alfredo y yo tendremos que hacer sin remedio al mismo tiempo, aunque no queramos, durante el resto de nuestras vidas: cumplir años. Como seguramente cuando seamos mayores ni siquiera nos vamos a hablar y vamos a vivir en ciudades muy alejadas, de lo único que siempre nos acordaremos es que en algún lugar del mundo el otro estará partiendo también su pastel. Entonces, mis pensamientos fueron interrumpidos por Roxana, que me dijo:

—Bueno, ¿cuál es ese gran secreto?

2

SEIS en los quebrados. Nunca voy a entender eso de los denominadores, solo espero que Susana y su diez no se metan conmigo, porque soy capaz de esconder una de sus muñecas. Lo bueno es que ya solo faltan unos minutos para el recreo y aunque Quique se ha pasado todo el tiempo mandándome mensjaes en avioncitos porque quiere saber el gran plan que le he dicho que le iba a contar, estoy decidido a no hacerlo hasta la hora del descanso.

Por fin estamos en el patio de la escuela y ahora resulta que no he podido contarles lo del club de exploradores porque a Quique y a René se les ha ocurrido ir a la tienda de la escuela, e ir a la tienda y comprar aunque sea un chicle de esos que nadie quiere es toda una hazaña, debes hacer una cola enorme y tener la suerte de que te atiendan pronto.

Tengo que admitir una cosa: comprar en la tienda es muy divertido; todos nos empujamos, nos damos de coscorrones y si el de delante se descuida puedes ponerte en su lugar aunque proteste. La verdad, es mejor estar en la cola que comprar algo. Mientras Quique y yo luchamos por colocarnos en un mejor lugar en la cola, René nos dice que se le ha olvidado el dinero en su mochila; pero lo hace con esa cara rara que suele poner cuando está cerca de Roxana, así que Quique y yo inmediatamente nos damos cuenta de que lo que quiere tiene que ver con ella. No le decimos nada, pero sabemos que no regresará pronto. Yo espero que nunca me guste una niña, porque aparentemente cuando una niña te gusta, algo hace que pongas una cara rara, que te comportes como un tonto y que no seas (lo más raro de todo) capaz de hablarle a la niña en cuestión. A pesar de que todos nos conocemos desde tercero, René no ha sido capaz de decirle a Roxana nada más que "hola" en todo este tiempo; y tal como van las cosas, no creo que le vaya a decir algo más ingenioso pronto. No sé qué tienen las niñas guapas que ponen nerviosos a todos. Quique y yo sabemos que René intentará el plan de siempre: se acercará a mi hermana, que como no es muy guapa no pone particularmente nervioso a nadie, hablará con ella y aprovechará que Susana y Roxana siempre están juntas para estar cerca de su amorcito. ¡Vaya! En serio espero que nunca me guste una niña.

Mientras hacemos cola y empujamos al gordo de Carlos Lozada, Quique me pregunta, colocándose las gafas:

—Entonces, ¿sigues creyendo que los animales ganarían?

A lo que yo contesto, justo antes de que el gordo

nos empuje con su gran trasero a Quique y a mí hacia atrás y nos haga caer, ante la risa de todos:

—Sí. Los animales ganarían.

Nos levantamos y Quique me dice:

—Pues qué tonto eres. Los humanos ganarían, claro.

Quique lleva varios días con la ocurrencia de que si los animales y los hombres hicieran una guerra, seguramente los hombres ganarían. A Quique le encanta preguntarse ese tipo de cosas, no es la primera vez que oigo que dice "¿qué pasaría si esto?" o "¿qué pasaría si esto otro?". Y ahora está particularmente encantado con su idea porque Quique es un fanático de las guerras, aunque no de todas; en realidad, como toda la gente normal, Quique piensa que las guerras son malas, así que solo le entusiasman la primera y la segunda guerras mundiales. Y aunque él creía que yo estaría de acuerdo en que los humanos con sus aviones y rifles eran superiores a todos los animales, ya le he ganado varias discusiones; entre otras cosas he convencido a Quique de que los hombres no podrían tener caballería, porque los caballos, claro, se rebelarían, y que un grupo de hombres a pie sería fácilmente aplastado por otro grupo igual de elefantes y rinocerontes. Pero ahora Quique parece tener nuevas ideas:

—Te apuesto a que no has pensado en mis indestructibles *panzer*.

—Claro que he pensado en los tanques, tonto –le contesto, mientras dos niños de sexto nos sacan de la cola y tenemos que volver a formarnos–. Mi ejército mandaría en ese caso al escuadrón de cucarachas.

—¿Cucarachas? ¿Y qué podrían hacer unas cucarachas contra unos *panzer*?

—Las cucarachas se meterían en los tanques.

—¿Cómo crees que se van a meter en un tanque blindado?

—Todos saben que las cucarachas se pueden meter en cualquier lado. Estarían en tus tanques y se le meterían en los calzones a tus soldados, que saldrían corriendo y se rendirían.

Quique se queda callado, aceptando que mis cucarachas podrían entrar en sus tanques y sobre todo en los calzones de sus pobres soldados.

Avanzamos otro poco en la fila. Estamos ya a tres o cuatro personas de comprar lo que Quique quiere comprar. Pero justo entonces suena el timbre que anuncia el fin del recreo. No es posible. Otra vez no les he podido decir lo del club. Todo el recreo formados en la cola de la tienda discutiendo la guerra de Quique, y el bobo de René babeando por Roxana en algún lugar.

Justo antes de entrar en la clase nos topamos con René que, claro, va unos pasos por atrás de mi hermana, de Pilar y de su amada Roxana. Estoy a punto de soltarle a mis dos amigos que por su culpa no he podido decirles nada, cuando René se nos acerca y nos dice emocionado:

—¿A que no sabéis qué están haciendo Susana, Roxana y Pilar? Un club de exploradoras.

No puedo creer lo que acabo de oír. Me quedo parado como un tonto justo a la entrada de la clase y por culpa de eso la maestra me tira al suelo al entrar apresurada. ¡Diablos! Es la segunda vez que me tiran en un día.

2

ROXANA y Pilar estuvieron de acuerdo. La idea de hacer un club de exploradoras era genial. Quedamos las tres en que pensaríamos un buen nombre y en el recreo nos pondríamos de acuerdo para definir nuestra primera misión.

La primera parte de la mañana fue como todos los lunes. Anita nos dio clase de matemáticas, y claro, revisamos nuestra tarea. Mi hermano, como ya es costumbre, no se salvó de una regañina. La maestra dijo que seguramente había resuelto los problemas el domingo por la noche, pues daban toda la impresión de que los hubiera hecho cabeza abajo.

Durante el recreo, Roxana y yo fuimos a la tienda a comprar golosinas. Pilar nos dijo que ella nos esperaría porque estaba a dieta y no quería nada. Claro que yo le dije que era muy pequeña para eso de las dietas, pero no la pudimos convencer de que al menos nos acompañara.

Qué maravilla es que en la tienda haya una cola para niños y otra para niñas. Los niños parecen cavernícolas descerebrados. No hacen más que empujarse y darse golpes, por eso no logran comprar nunca nada. La fila de las niñas es lenta solo porque crees que sabes qué quieres, pero al llegar y ver toda esa variedad de dulces y golosinas, inevitablemente cambias de opinión y terminas tardando un poco más de la cuenta. Y en esta ocasión pasó algo parecido. Roxana quería chocolate, pero terminó con una bolsa de fritos y yo solo quería una piruleta, pero acabé comprando dos mazapanes, que terminé por darle a Pilar, porque se los comía con los ojos desde el momento en que me los vio cuando nos sentamos en un banco para hablar. Lo dicho, las dietas no son para las niñas, aunque estén gorditas o robustas.

—¿Qué os parece si nos ponemos "las gloriosas"? –opinó Pilar.

—¿Las gloriosas exploradoras? –contesté yo con tal cara de asco que fue copiada por Roxana e hizo que Pilar pensara otra cosa.

—¡Las poderosas exploradoras! –sugirió entusiasmada Roxana.

—No somos superhéroes. Hay que pensar en algo original –repliqué.

—Mejor dejamos el nombre para después y hacemos los carnés –añadió Pilar después.

—No podemos pretender ser un club si no tenemos primero un nombre –contesté y, de pronto, vi que Pilar me miraba con unos tremendos ojos de susto que me obligaron a decirle con la cara: "¿Qué?".

Miré hacia atrás: a mis espaldas estaba René y seguro que había oído todo.

—Hola, Susy.

—¿Qué quieres, René? –pregunté. Las tres sabíamos perfectamente que en el mismo momento en que René conoció a Roxana había perdido el cerebro, y por alguna extraña razón desde entonces creyó poder recuperarlo estando cerca de ella y mirándola con cara de tonto.

—Hola, Roxana –dijo él sin escuchar mi pregunta.

—¿Qué has oído, chismoso? –le reclamó Pilar, sin quedarse callada.

—Nada.

Un tanto harta por la mirada de René, Roxana le preguntó con esa voz tan dulce y femenina que más de una vez he llegado a pensar que es fingida y bien ensayada:

—¿Seguro que no has oído lo que hemos dicho del club de exploración y los nombres?

Roxana será muy guapa, pero a veces no es muy brillante.

—Ahora ya lo sabe, Roxana –dijo Pilar, escondiendo la cabeza entre las piernas.

René, un poco avergonzado, comentó:

—Pero no os preocupéis, no se lo diré a nadie si es un secreto.

—Tienes que prometerlo –le pidió Roxana como buscando corregir su error.

—Si no, que las orejas se te pongan de soplillo –añadió Pilar, quien tampoco perdía oportunidad para amenazar a los niños.

La verdad es que no había mucho que esconder, francamente me extrañaba que a esas alturas mi hermano todavía no le hubiera dicho nada a René, porque estaba claro que el enamorado de Roxana se encontraba en otro canal.

Cualquier niña que tenga hermanos sabe que no se les puede pedir consideración. Si quieren pelear contigo, ni se esperarán hasta llegar a casa, ni les importará el lío en el que puedan meterte, es más, preferirán que sus amigos presencien toda la pelea.

Apenas acabábamos de salir de clase cuando mi hermano llegó hasta nosotras furioso. Claro, sus dos inseparables amigotes venían con él.

—Eres una copiona, Susana.

—¿Por qué una copiona?

—Me has copiado la idea de hacer un club de exploradores.

—Yo no te he copiado nada. Esa idea no es tuya, es del tío Paco.

—Sí, pero me la dijo a mí.

—También yo estaba allí, así que no digas nada, que si de copiones se trata, vosotros sois los peores, porque nosotras lo hemos hablado primero.

Entonces Pilar comenzó a decirles con voz cada vez más fuerte:

—Sí. ¡Copiones, copiones, caras de chicharrones!

Para eso de molestar gritando, Pilar es buena. Mi hermano tuvo que levantar la voz:

—¡Cállate, Pilar! –para después decirme–: A mí se me ocurrió primero que a ti.

—Sí. A Alfredo se le ocurrió primero.

Tenía que ser el pelota de René. Por eso tuve que decir:

—No digas nada, René, que tú no tenías ni idea. Solo has ido a cotillear.

—Se te van a poner las orejas de soplillo, bocazas —dijo Pilar, que estaba tan furiosa como yo—. Nosotras ya estamos hasta organizadas.

Y luego Roxana añadió:

—Sí. Tenemos hasta nombre.

Y claro, mi hermano no iba a quedarse callado ante la oportunidad de burlarse:

—¿Ah sí? ¿Cómo os llamáis? ¿Las abejitas?

Por supuesto, los tres bobos se rieron como hienas tontas. Y yo pensé que menos mal que no habían dicho gloriosas, porque entonces hasta a mí me habría entrado la risa. Le dije a mis amigas que no se dejaran intimidar:

—No les digáis nada. No tenemos por qué decírselo.

De pronto René dijo algo sorprendente:

—Yo creo que no tiene nada de malo que ellas hagan su club.

Todos nos quedamos callados. René había roto una de las reglas de oro de los niños: "Nunca estar de acuerdo con una niña". Realmente estaba muuuy enamorado. Alfredo se hizo el sordo a lo que acababa de decir René, por cierto, lo único inteligente que hasta entonces habían dicho los niños, y siguió con sus brillantes reclamaciones:

—Mi tío lo dijo delante de ti por pura amabilidad. Pero es obvio que me lo dijo a mí. Un club de exploradores es cosa de niños.

Muy molesta, Pilar le dijo:

—No puedo creerlo. De verdad que no puedo creerlo. Estamos rodeadas de verdaderos machistas.

Nos empezamos a insultar y, como es costumbre, las niñas salimos ganando, porque hay un momento en que a los niños solo se les ocurre un insulto y se quedan como discos rayados repitiendo lo mismo:

—¡Alcornoques machistas!

—¡Caras de chicle pisoteado!

—¡Cavernícolas descerebrados!

—¡Caras de huevo podrido!

—¡Simios sin materia gris!

—¡Caras de huevo podrido!

—¡Chimpancés mongoloides!

—¡Caras de huevo podrido...!

Después de un rato sacándonos la lengua unos a otros (a excepción de René a Roxana, por supuesto), nos alejamos mientras esperábamos que llegaran nuestras madres a buscarnos; cada grupo con una idea clara, que por cierto, fue lo último que nos dijimos: "¿Ah sí? Pues no nos importa que hagáis vuestro club. El nuestro será un millón de veces mejor. Ya lo veréis".

3

CÓMO detesto a mi hermana. No importa que no haya presumido de su diez en los quebrados, voy a esconderle una de sus muñecas. Le voy a esconder esa tan horrible que parece humana (ya sé que se supone que las muñecas deben parecer reales, pero esta se pasa). Es una muñeca de porcelana que mide casi lo que medimos mi hermana o yo, y que no es una muñeca común, ya que no representa a un bebé, es como una enana. Tiene un vestido de niña antigua, ojos azules como de gato, piel blanquísima y unos cabellos y unas uñas que parecen de verdad. ¿Os podéis imaginar algo más horrible? Sí, estoy decidido. Voy a encerrar a esa horrible enana en el sótano.

Pero eso tendrá que esperar, porque en cuanto hemos terminado de comer, mi madre ha tenido la genial idea de que la acompañara al banco. No me gusta ir al banco. La gente no hace otra cosa que hacer cola y yo, por más que he mirado, nunca he visto que nadie lleve dinero. Nunca he visto la caja fuerte, ni los sacos de dinero y mucho menos he tenido la suerte de ver llegar aunque sea de visita a un ladrón con antifaz. Y lo peor de todo es que mamá siempre me pide a mí que la acompañe. Mi madre es medio rara, porque a Susana siempre la lleva al súper, y a mí al mecánico o al banco. No sé si creerá que estando conmigo en el banco estará más segura; o que con el mecánico no le querrán ver la cara, y me da vergüenza decirle que si se fija en mi edad, en realidad da lo mismo que sea yo o Susana.

Justo cuando llegamos al centro comercial, me dice:

—Te he mentido, Alfredo. No voy al banco. Necesito pedirte un favor.

¿Qué puedes decirle a una mujer en apuros? Tal vez me va a pedir algo peligroso. Tal vez esta es la primera misión para el club de exploradores.

¡Diablos y más diablos! Este, puedo decir sin temor a equivocarme, ha sido el peor día de mi vida. Me ponen un seis en la tarea, me echan de clase dos veces en la escuela, mi hermana me roba una genial idea y ahora esto, que si no fuera porque ya lo he empezado a contar me lo callaría hasta que la tierra de mi tumba me cubriera. ¿Cuál creéis que es el gran favor que me ha pedido mamá? No me ha pedido guardarle unas joyas valiosas, ni ayudarle a espiar a alguna peligrosa archienemiga, no, nada de eso. Mi madre me lleva hasta una boutique de la que es dueña una amiga suya, y me necesita para revisar con mis medidas un vestido que quiere regalarle a Susana en nuestro cumpleaños, para el que todavía falta más de un mes. Sí. La gran misión es servirle a mi madre de maniquí para Susana. Creía que me pediría algo de hombres, algo que exigiera mis naturales dotes de investigador. Si alguien me hubiera dicho que debía disfrazarme de mujer para salvar al mundo, tal vez eso sería diferente, pero servir de doble de mi hermana, la ladrona de ideas, eso es otra cosa.

—No, mamá. Yo no me voy a poner nada.

—Pero es que tú y tu hermana tenéis prácticamente las mismas medidas.

—No, mamá. Que venga Susana. Yo no quiero.

—Ya te he explicado que quiero que sea sorpresa. Además, no te vas a poner nada, nada más te lo voy a probar por fuera.

—No, mamá.

Entonces ella, viendo que no va a obtener otra cosa de mí que no sea un "No, mamá" y que no voy a permitir que me prueben un vestido ni siquiera por fuera, me promete que me va a comprar el juego de vídeo de karatecas por el que he ahorrado ya la paga de tres domingos.

—Pero jura que nada más por fuera.

—Lo juro.

No hagáis nunca caso a los juramentos de vuestras madres.

Empieza a probarme por fuera varios vestidos (claro que, por petición mía, estamos escondidos en una zona de la tienda en la que es imposible que algún conocido o desconocido nos vea), cuando de pronto veo esa mirada inconfundible que ponen las madres justo antes de romper un juramento.

—No sé. Si tan solo pudiera estar segura.

Entonces interviene la dueña de la tienda (claro, las mujeres siempre dicen estas cosas en voz alta para encontrar aliadas).

—¿Es de la misma talla que ella?

—Sí. Son mellizos.

—¿Por qué no se lo prueba?

—Sí. Alfredo, ¿por qué no te lo pruebas?

¿Qué? ¿Estoy oyendo bien? Mi madre quiere que me ponga un... y de florecitas, y de...

—No, mamá.

—Es solo para estar segura.

—No, mamá.

—No necesitas quitarte la ropa. Te lo pongo encima.

—No, mamá.

Entonces la metomentodo de su amiga, claro, tiene que decir algo:

—No te va a pasar nada. Es solo un ratito.

—No. Yo no me pongo un vestido.

—Es solo un ratito.

—¡Usted no se meta, señora!

No tenía que haber dicho eso. Mamá me obliga a que me ponga el vestido, ya no por ver las tallas, sino como castigo por ser tan grosero. Si no fuera tan bocazas.

No le hablo en todo el camino de regreso. Aunque ella hace un intento para que lo haga.

—¿Ves como a nadie le pasa nada por ponerse un ratito un vestido?

Y luego otro intento:

—¿Te han crecido las pestañas acaso? No, ¿verdad?

Pero yo tengo mi dignidad y con mi silencio le quiero hacer ver que lo que ha hecho no ha sido muy bueno, sobre todo eso de ponerme ante un espejo y decirme: "Mira, estás igualito a tu hermana". Y la táctica funciona, porque justo cuando bajamos del coche, me dice:

—Te prometo que nunca te voy a pedir algo así otra vez. Y te juro que nadie se va a enterar.

Tengo mi juego de kung-fu, pero también siento un gran coraje hacia mi hermana, la causante de todas mis desgracias. Jamás he odiado tanto el hecho de que Susana no haya sido hombre. ¿Qué le hubiera costado?

3

ESE Alfredo... No solo no lo regañan por tener bajas calificaciones, no solo mi madre se lo lleva de paseo y a mí me deja esperando una llamada que nunca llega, encima de todo y para colmo, le compran un tonto juego de golpes y patadas. No cabe duda de que el mundo se hizo para los tontos y los que no se bañan (y Alfredo pertenece a los dos grupos). Pero no entiendo por qué viene tan enfadado y por qué me echa esas miradas asesinas. Ahora recuerdo cuando mi tía Roberta dice "Nunca entenderé a los hombres".

Bueno, no estaba tan aburrida "como una ostra", así se suele decir cuando uno no hace nada de nada. Mientras mamá y Alfredo estuvieron fuera, pude observar cómo un camión de mudanzas llegaba a la casa donde habían vivido los señores Chávez, que eran un señor y una señora casi tan viejecitos como mis abuelos y que habían vendido hacía unos días su casa para irse a vivir a un apartamento. Dice mi madre que porque la casa era ya demasiado grande para ellos. Yo creo que mamá tiene razón pues cuando llegas a cierta edad, subir y bajar escaleras debe de ser terrible, y es que la casa de los señores Chávez ha de estar llena de escaleras, porque aunque tiene tres pisos como todas las casas de esta manzana, esta parece mucho más alta, como si tuviera un piso más. Bueno, pero estaba en que vi cómo llegaba un camión. Me puse a mirar a través de la cortina con la mayor discreción. Y pensé: "¿Y si los vecinos fueran peligrosos criminales o falsificadores de billetes de quinientos pesos?". Entonces decidí que no había mejor oportunidad para probar mis habilidades como investigadora. Corrí hasta el armario de mi padre y abrí el baúl, ese que nos ha prohibido a mí y a mi hermano tocar, pero ni se imagina que muchas veces lo hemos abierto para sacar cosas, porque tiene unos juguetes para adultos de lo más interesantes, como un telescopio, una vieja linterna, una gran lupa, un globo terráqueo que brilla en la oscuridad y unos prismáticos. Agarré los prismáticos y bajé hasta la cocina, acerqué una silla a la ventana y cuidando de protegerme con la cortina, miré a través de los prismáticos, los enfoqué y casi me espanto al ver lo cerca que se veían los hombres que comenzaban a sacar las cosas del camión. Vi cómo bajaban los muebles, que la verdad estaban bastante viejos y descuidados. Los hombres seguían sacando cosas y por más que esperé no pude ver que cargaran un televisor, un compacto o un vídeo. "¡Qué raro!", pensé. Y después, cuando bajaron las camas, pude ver con claridad que se trataba solo de dos; una grande, seguramente de los dueños, y otra un poco más pequeña, seguramente del hijo o hija del matrimonio.

Entonces me di cuenta de que llegaba un taxi, me agazapé más, como temiendo que esa aparición hubiera podido hacerme más visible y me apresuré para volver a mirar y enfocar mejor. Los vecinos nuevos habían llegado. Vi a una señora pelirroja, ya un poco canosa, delgada, con un vestido verde muy bonito, que bajaba del coche y, mientras le pagaba al taxista, descendía el otro pasajero. Enfoqué y me sorprendí al ver a la que seguramente vendría a desbancar a Roxana como la más guapa del barrio. Se trataba de una niña pelirroja, como su madre (bueno, tal vez sea un poco apresurado suponer que la señora pelirroja era su madre, pero esto es lo que los detectives llaman deducir y yo estaba muy instalada en mi papel de investigadora). Bueno, la nueva vecina, además de tener un pelo rojo encrespado muy bonito, tenía una piel extraordinariamente blanca y unas pecas que parecían chispas de almendra salpicándole las mejillas, y claro, tenía una cara preciosa, mucho más bonita que la de Natasha (que es mi muñeca rusa y que parece una princesa). Entonces, ella, como si alguien le hubiera avisado que una fisgona la estaba viendo a través de unos prismáticos, miró directo hacia donde yo estaba. Claro que me escondí, pero al dar un paso atrás, ¡zas!, que me voy contra la mesa y por no caerme, me agarré del mantel, pero no sirvió de nada. Fuimos directos al suelo, yo, el mantel, la jarra de agua, tres platos hondos y tres llanos, dos vasos y diez cubiertos. Por suerte, nada se rompió, ni yo, ni la vajilla. Pero cuando estaba en el suelo, por fin pude asimilar lo último que había visto, lo más impresionante de la nueva vecina: unos ojos verdes tan brillantes –vais a decir que exagero, pero es cierto–, tan brillantes que me pareció haber visto dos bombillas navideñas o los ojos de una bruja de cuento.

Me levanté y miré de nuevo, pero la niña y su madre habían entrado ya en su nueva casa.

¡Caray! Eso no estaba bien. Si ya con Roxana una se sentía bastante fea, ahora sí que me iba a sentir un monstruo y medio.

Apenas me dio tiempo de recoger todo antes de que llegara mamá. Y una vez que mi hermano se fue a su cuarto medio enfadado, mi madre se asomó por la ventana y miró hacia la casa, bueno, más bien, la ex casa de los señores Chávez.

—Mira. Han llegado los nuevos vecinos.

Entonces le conté los resultados de la investigación, todo lo que había visto. Y le dije todo eso sin que mi madre se molestara, pues le encantan los chismes. Lo único que me callé es lo de que la niña nueva era muy guapa.

Gracias a haber terminado mi tarea antes de que llegaran las vecinas nuevas, pude salir e ir a casa de Pilar; ahí haríamos los carnés del nuevo Club de Investigadoras de las Amazónicas, nombre que no me gustaba mucho, porque cualquiera que lo oyera no pensaría que se nos ocurrió porque algún día nos gustaría explorar el río Amazonas, sino que diría que nos sentíamos todas unas guerreras a caballo. Pero al ponerlo a votación, Pilar y Roxana escogieron ese nombre. Decidimos sacar las hojas de papel y los rotuladores y trabajar en el jardín. Hacía un día demasiado bonito para encerrarse.

Cada una había traído la foto que más le gustaba para ponerla en su carné. Y nos pusimos a trabajar, pero francamente todo nos iba quedando muy mal, un poco por culpa de que Roxana, será muy guapa y eso, pero no sabe combinar colores y hacía unas mezclas espantosas: dibujaba rayas amarillas combinadas con bolitas rojas, también remolinos de color café, salpicados de puntitos azules. Y Pilar tampoco se lucía. Por tener las manos robustas, no podía agarrar bien las tijeras y siempre cortaba las tarjetas torcidas; y bueno, es justo decir que por mi parte yo no podía hacer derechas las líneas y eso que tenía regla, escuadra y toda lo demás. Ya estaba por decirles a mis amigas que tal vez sería bueno pedirle ayuda a una de nuestras madres, cuando tuve esa extraña sensación que a veces da de sentirte obsevado por alguien. Volví la cabeza y ahí estaba:

—¿Qué hacéis, eh?

Era la niña nueva. Ya vista tan de cerca y sin prismáticos, pude estar segura de que era realmente guapa. Pilar, que siempre es la más discreta, no dudó ni un segundo en preguntar:

—Eres la niña nueva, ¿verdad?

—Sí. Nos acabamos de mudar.

—De veras que tienes un cabello muy rojo y muy bonito.

—¿De veras? ¿Alguien te contó algo de mí?

Claro. Pilar y su capacidad para guardar secretos. Sí, yo ya les había contado todo lo que había visto durante la llegada de las nuevas vecinas, incluyendo lo de la falta de televisión. Y claro, ante esa pregunta a Pilar no le quedó más remedio que pasarle descaradamente la bola a otra:

—Sí. Susy nos ha contado que te vio llegar.

Y Roxana hizo lo propio para que la niña no pudiera menos que verme como una chismosa espía mirona:

—Nos ha dicho que has llegado con tu madre.

Tuve que aclararlo todo, claro está, con una pequeña mentira:

—Soy tu vecina de enfrente y me he asomado sin querer por la ventana y os he visto llegar.

La niña sonrió, y nos dijo mientras se sentaba junto a nosotras:

—Me llamo Angélica, pero me pueden decir Angie.

Todas nos presentamos, y Angie, fijándose en uno de nuestros desastrosos diseños, nos preguntó:

—¿Qué son?

Pilar, olvidando que esto del club era algo privado, nos puso en evidencia al responder:

—Son unos carnés para nuestro club de inv... –claro que a media frase se dio cuenta de que Roxana y yo le echábamos una mirada asesina.

Pero ya le había dado cuerda a la curiosidad de Angie y fue inevitable que ella preguntara:

—¿Un club? ¿De qué?

—De investigadoras –dijo Pilar, que se vio obligada a decirnos algo a Roxana y a mí, como si hubiera sido nuestra culpa–: ¿Qué? Nunca hemos dicho que fuera un secreto.

Angie tal vez se sintió un poco mal de haberse inmiscuido en algo que no le importaba, porque ya no preguntó nada y cogió uno de los diseños: el peor. Entonces yo le dije algo avergonzada:

—Sí, pero nos están quedando horribles.

—No están tan mal.

Roxana, feliz, intervino:

—¿Ves, Susy? No están tan mal.

—Sí están mal, Roxana. ¿Rosa con negro? ¡Es una combinación horrible!

Angie nos dijo:

—Si queréis que os salgan realmente bien, ¿por que no los hacéis con ordenador?

Entonces como si Angie hubiera dicho una gran verdad, pero inaccesible para todas las pequeñas mortales, nos miramos entre nosotras, pensando: "No sabemos utilizar un ordenador". Y tan claro fue esto que Angie nos sugirió:

—Hay muchos programas con los que se pueden hacer diseños, y con los dibujos y colores que se quieran.

Todas tuvimos que confesar nuestra ignorancia:

—En mi casa tenemos ordenador, pero no lo sé usar.

—A mí no me dejan.

—Yo no lo entiendo.

Angie nos miró mientras miraba otra de las tarjetas.

—Si queréis, os puedo ayudar.

—¿En serio?

—¿Tú sabes utilizar esos programas?

47

—Sí. No son tan difíciles. Si os parece, vamos a mi casa y os enseño.

Vaya. ¿Quién lo hubiera pensado? La niña nueva parecía ser toda una conocedora de los ordenadores, aunque no tuviera televisión.

4

SOLO había un remedio para olvidar el penoso asunto del vestido: estrenar el juego de vídeo y superar por lo menos tres niveles.

Siempre que uno estrena un juego de vídeo el tiempo pasa volando y a mí también se me pasó supervolando. Estaba a punto de llegar al cuarto nivel y por fin enfrentarme al terrible Ku-Wen-Chai, cuando mamá me gritó:

—¡Alfredo, aquí están Quique y René!

¡Diablos! Con el enfado de lo del vestido y lo del videojuego, se me había olvidado que los había citado para que discutiéramos lo del club de exploradores. Pero no había problema, ahora no solo discutiríamos sobre el nombre del club, sino que podríamos jugar un torneo de kárate.

Nos pusimos a jugar durante un buen rato y decidimos que mientras practicábamos las patadas voladoras y los golpes con la cabeza, íbamos a pensar en un nombre. Pero estábamos en crisis –con lo de los nombres–, y solo teníamos ideas pésimas: Los Exploradores Karatecas (claro), Los Sobrevivientes de la Luftwafe –este fue idea de Quique y su segunda Guerra Mundial–, Los Bulldogs, Los Investigadores Infalibles, Los Superexploradores...

Estábamos mal. Fue René quien nos dijo:

—Las niñas ya tienen nombre: Las Chicas Amazonas... o algo así.

—¿Qué? ¿Se sienten como unas guerreras mágicas? –dije, burlándome.

—No, más bien unas superamigas a caballo –dijo Quique riendo.

Nos reímos todos un buen rato. Entonces dije:

—Las mujeres realmente son ridículas.

—La verdad no sé por qué forman un club de investigadoras unas niñas que no pueden hacer nada –opinó sabiamente Quique–. ¿Os acordáis de lo que lloró Roxana porque la maestra la regañó por correr por el pasillo?

—Sí. Nunca podrían tener una misión. Susana casi llora por un balonazo –añadí.

Hubo un silencio y René se atrevió a decir:

—¿Y nosotros podríamos tener una misión?

Nos quedamos callados. Estaba muy molesto. Mi hermana hasta nombre tenía –sí, un nombre ridículo, pero nombre al fin– para su club, seguro que habrían diseñado carnés con florecitas y ositos, y ahora eran capaces hasta de tener una misión. Si pudiera vengarme de algún modo... Fue entonces cuando se me encendió la bombilla. Ya sabía cuál sería nuestra primera misión y mi venganza contra Susana. Pero encontré respuestas no muy buenas:

—¿Encerrar en el sótano a la muñeca de tu hermana?

—¿Estás loco? ¿Encerrar a la Bongolé?

Así le había puesto a la muñeca, porque a una

muñeca tan espantosa hay que ponerle un nombre horrible. Entonces tuve que imponerme:

—No me digáis que tenéis miedo.

—Después de lo que nos contaste, claro que sí.

Valiente club de exploradores. No podía culparlos por dudar. Yo tenía la culpa por haberles contado lo que me pasó con la horrible Bongolé.

Una vez vino de visita mi abuelo y, como es muy gordo y alto, tuve que prestarle mi cama, que es más ancha que la de mi hermana. A Susana la había invitado Pilar a dormir a su casa y yo me quedé en su cuarto. Fue una noche de terror. Podía sentir cómo la horrible Bongolé me miraba. Estaba ahí parada a un lado de las otras muñecas que, aunque menos horribles, comenzaron (lo juro) a mirarme también con odio. Me levanté rápidamente a encender la luz (era importante hacerlo rápido, porque si no, corría peligro de que la Bongolé me agarrara aprovechando la oscuridad que, todos sabemos, es aliada de los seres infernales). Una vez con la luz encendida, yo era el amo. Encerré a todas esas criaturas espantosas en el armario, y cuando estaba a punto de encerrar a la Bongolé, vi al cogerla que sus ojos quedaban frente a los míos, sentí su respiración y casi oí que me decía: "Atrévete a encerrarme y verás". La solté espantado y, al ver cómo se daba un fuerte golpe en la cabeza con el borde de la cama, casi juré que se iba a poner de pie, me iba a tomar de una pierna y me azotaría contra el suelo. Pero no lo hizo. Sin embargo, yo me asusté tanto que estaba a punto de ir a mi cuarto para exigirle a mi abuelo que se fuera a su casa y nunca se le ocurriera volver a visitarnos para quitarme mi cuarto y mi cama. No podía encerrar en el armario a la Bongolé, seguro que saldría durante la noche para hacerme no sé qué terribles cosas. Decidí llevarla lo más lejos de alí. La cogí procurando que esta vez sus ojos no se encontraran con los míos. De todas formas sentí su respiración furiosa, pero no me importó y la llevé escaleras abajo, justo hasta el pequeño almacén de la cocina donde mi madre guarda todas las compras. La tiré dentro y pensé: "¡Aunque te enfades, aquí vas a dormir, cochina Bongolé!". Cerré la puerta y subí corriendo mientras iba apagando las luces que había encendido para llegar hasta allí. Llegué al cuarto de mi hermana, me encerré y me metí en su cama. Me cubrí con las sábanas y pensé que si la Bongolé se comía las cosas de la alacena, tal vez se le olvidaría que la había encerrado y hasta me lo agradecería.

No puedo negar que esa noche dormí bien, sin embargo a la mañana siguiente, al ir al baño, me encontré con la cosa más espantosa del mundo. Ahí, justo fuera del cuarto de mi hermana, apoyada en la pared, estaba ella: la mismísima Bongolé. ¡Diablos y más diablos! Venía por mí y seguro que la luz del día la había sorprendido justo cuando estaba a punto de entrar para comerme el cerebro. Creo que se puede entender por qué puse de inmediato a las muñecas y a la Bongolé en su lugar y no le comenté del incidente a nadie, salvo a Quique y René, quienes coincidieron conmigo en que las muñecas son seres malignos, mucho peores que los duendes y los fantasmas. Ahora que se trataba de encerrar a la muñeca en el sótano, era difícil convencerlos para unirse conmigo en tal difícil misión, porque una cosa era segura: no lo haría yo solo.

—¿Qué clase de exploradores queremos ser si no somos capaces de vencer entre todos a una muñeca?

Las quejas vinieron luego:

—Pero no es cualquier muñeca, Alfredo.

—¿No podríamos hacerlo otro día?

—No. Debemos demostrarnos que no tenemos miedo a nada –repliqué.

—Pero ya ha oscurecido.

Era cierto. Encendimos la luz para poder ver lo que ponía en el cuaderno en que habíamos escrito nuestros intentos de nombres para el club; además, mi madre había salido con una de sus amigas a tomar su dichoso café y estábamos solos en casa.

Entonces René dijo:

—¿No podríamos demostrar nuestra valentía de día?

Y aunque el miedo me recorrió todo el cuerpo, desde el dedo meñique del pie hasta la punta de mis cabellos, tuve que decir como un explorador valiente frente a una situación igual:

—Si vamos a ser exploradores, tenemos que serlo en todo momento.

Lo planeamos perfectamente. Yo iría el primero y abriría el cuarto de mi hermana. Encendería la luz. René le tiraría una colcha a la Bongolé, para evitar que nos mirara con sus ojos de bruja y nos hechizara. Entonces Quique y yo la agarraríamos por los brazos y la meteríamos en la gran bolsa de basura que habíamos cogido de la cocina. Y entre todos la llevaríamos hasta el sótano.

Nada podía salir mal. Ya habíamos acabado de subir las escaleras y estábamos a punto de abrir la puerta. Nos miramos por última vez y haciéndonos un gesto nos dijimos: "¡Listos!", tal y como hacen en las películas.

Abrí la puerta. René entró con la colcha. Encendí la luz. Nos adelantamos hasta el escritorio donde tenía mi hermana la muñeca. Entonces otra vez el miedo me recorrió el cuerpo. La muñeca no estaba alí. Buscamos con la vista por todos lados. No estaba. El corazón se nos aceleró. Quique dijo algo que debimos escuchar:

—¡Vámonos!

Pero de no sé dónde René sacó valentía y dijo:

—No. Hagámoslo de una vez.

Pero, ¿dónde estaba la muñeca? Todos miramos entonces hacia donde estaba claro que ya nos esperaba: el armario. Guardamos silencio. Procedimos a seguir con el plan. Y ahora, no usamos un gesto. Miré a René, que sostenía la colcha, y a Quique, que arrugaba la bolsa con sus manos, y les pregunté:

—¿Listos?

Abrí la puerta. Allí estaba. Y justo en ese momento, pasó. ¡Diablos! Se fue la luz.

Los tres gritamos de una forma no muy adecuada para tres exploradores valientes y además corrimos mucho más rápido que cualquier atleta de olimpiada, pues en dos segundos estábamos fuera de la casa: a salvo de las garras de la Bongolé y jurando que nos venía siguiendo de cerca.

Por suerte nadie nos vio. Nos quedamos tendidos sobre la hierba del jardín delantero. Cuando se le calmó la respiración agitada, Quique nos dijo:

—Os he dicho que nos fuéramos.

Ahora mis amigos estaban tan convencidos como yo de que esa muñeca tenía algo maligno.

Mientras esperábamos que la luz regresara, de pronto los tres miramos hacia la casa de enfrente, y Quique me preguntó:

—Oye, ¿has visto a los nuevos vecinos?

—No. Pero Susana le dijo a mi madre que son una señora con su hija.

—Otra vieja.

—Sí. Más niñas. ¡Qué asco!

Entonces vimos cómo se abría la puerta y de la casa salían varias niñas. No pasó mucho para que yo pudiera reconocer a mi hermana –claro, con tantos años soportándonos, no era difícil–, y para que René dijera, con el poco aliento que tenía:

—Es Roxana.

Sí. Las odiosas niñas exploradoras salían de la casa de la nueva vecina.

Alcancé entonces a verla a ella. Sostenía una vela y estaba justo en la puerta de la entrada. Me pareció, qué raro, que tenía el pelo rojo. Tal vez

se debía a la vela. Entonces levantó la luz como despidiéndose y las demás niñas –Roxana, Pilar y Susana– salieron, cada una con una vela en sus manos. La puerta se cerró, pero no puedo negar que sentí algo raro al ver a esa niña aun sin haberla podido distinguir bien.

—Voy a acompañar a Roxana a su casa –dijo René mientras se ponía de pie.

Pilar y Roxana se tomaron de las manos –esas cosas solo las hacen las niñas– y comenzaron a caminar con rapidez, escapando de René, pero él las siguió a distancia.

Mientras, Susana pasaba junto a nosotros y nos decía:

—¿Qué hacéis aquí afuera? ¿Os ha dado miedo quedaros en casa?

—Claro que no, boba –es lo menos que se le puede responder a alguien que te dice la penosa verdad. Quique le sacó la lengua, pero ella ya se había ido y pudimos oír que detrás de la puerta aún se reía de nosotros.

Miré por última vez la casa de enfrente. La luz de una vela se veía desde el otro lado de una de las ventanas. La silueta de la niña se distinguía, estaba mirando hacia aquí.

4

Es increíble lo que son los ordenadores. Me entraron ganas hasta de saber informática, pero es una lástima: mi padre no nos deja usar el ordenador desde que el bruto de Alfredo echó a perder una de la teclas jugando con ella.

¡Pero qué buena es Angie! Sabe hacer muchas cosas en el ordenador. Usó unos programas que ninguna de nosotras sabía que existían. En menos de una hora ya habíamos diseñado –bueno, Angie había diseñado–, unos carnés preciosos, con colores y todo. Para nuestra mala pata no pudimos imprimirlos, porque apenas estábamos terminándolos cuando se fue la luz en toda el barrio y tuvimos que despedirnos de nuestra nueva amiga porque ya era tarde. Ella prometió que nos iba a acabar los carnés en cuanto llegara la luz y que nos los llevaría a la escuela. Nos dio una vela a cada una de nosotras y nos despidió en la puerta de su casa. No nos hubiéramos ido tan rápido, de no ser porque Roxana se acordó de que tenía que estar en su casa desde hacía mucho; Roxana será muy guapa, pero es un poco distraída.

Creo que no necesito decir que invitamos a Angie a que perteneciera a nuestro club. Ahora ya teníamos a otra Amazónica con nosotros. Me sorprendió mucho que ella me cayera tan bien. Era tan guapa que yo suponía que iba a ser una niña muy creída, pero la verdad es que resultó ser muy simpática y amable. Cuando llegamos a su casa nos ofreció un pedazo de pastel que ella misma había hecho y un vaso de leche.

Solo una cosa no me gustó de mi nueva vecina: su madre.

Desde antes de que llegáramos a su casa Angie nos dijo que la disculpáramos, pero que su madre era muy rara. Todas pensamos que tal vez estaba exagerando, porque cualquier mamá tiene siempre algo de especial: la mamá de Roxana, por ejemplo, cuida más a su salón que a su hija. Cuando vamos a jugar a su casa nos da miedo hasta mirar los sillones y el sofá, porque son preciosos, y tiene unos adornos carísimos y nos da la impresión de que si movemos las pestañas se caerá uno de esos jarrones tan elegantes que tiene y nos lo cobrará. La mamá de Pilar, aunque muy inteligente, es francesa y, no sé por qué, no tiene la costumbre de usar desodorante –yo no sé si así lo harán todos los franceses–, y la verdad es que no me gusta estar cerca de ella. Y, por otro lado, está mamá, que tiene la manía de apuntarse a clases de cuantas cosas salen anunciadas en el periódico, sin exagerar. Ahora ya sabe hacer macramé, platos italianos, decorar cerámica, pintar en vidrio y no sé qué otras cosas. Así que al decirnos Angie que su mamá era medio extraña y que no le hiciéramos caso, yo simplemente me esperaba ver a una señora muy maquillada o que no permitía que se entrara en su casa con los zapatos sucios. Pero al conocerla, tuve que aceptar que Angie tenía razón, y ahora que lo pienso, Roxana, Pilar y yo tal vez nos fuimos de su casa cuando se fue la luz porque nos sentíamos muy incómodas.

Nada más presentarnos, la madre de Angie empezó a mirarnos con curiosidad y nos habló con una voz dulce, no, dulcísima, tan dulce que podía decirse que le salía azúcar de la boca, pero no un azúcar bueno, porque de inmediato nos dijo a las tres justamente esas cosas que sabemos que son ciertas, pero que no nos gusta que nadie nos diga y que yo pensé que solo Alfredo y sus amigotes eran capaces de decirnos. A Pilar, como se podía esperar, le dijo que qué niña tan gorda y que si quería podía hablar con su madre para darle el nombre de un médico muy bueno; a mí, por supuesto, me dijo que no era nada guapa, que tenía la cara muy flaca, como de ardilla; y a Roxana, que fue a la que menos mal le fue –claro, por guapa–, le dijo que tenía la voz muy atiplada. Nadie se atrevió a preguntar en ese momento qué era eso de "atiplada", pero sabíamos que no era nada bueno.

Pero eso no fue todo. La señora comenzó a presumirnos de "su ángel", es decir, de Angélica, y la pobre se veía que no sabía dónde esconderse ni qué hacer para que su mamá se callara. "Que si Angie tan bonita, que si sus ojos tan verdes y su cabello rojo, que si muy inteligente, que ya ganó un concurso de matemáticas, que sabe hasta hacer tartas y pasteles, que sabe muchísimo de informática...". Y esto último fue lo que aprovechó Angélica para decirle a su mamá:

—Han venido para que las ayude con algo en el ordenador.

Y nos hizo salir de la sala, mientras nosotras, con una cara bastante seria, decíamos: "Con permiso, señora".

Yo sé que todas las madres deben creer que sus hijos son los más guapos y los más inteligentes del mundo y que el resto de los niños, incluyendo a los hijos de la Princesa Diana, son brutos y feos; sin embargo la mayoría de los padres se callan, supongo que por amabilidad o no sé, pero creo que es la primera vez que veo a una señora que decide no callárselo. Y es verdad que a Pilar y a mí los insultos nos resbalan, quizá porque tenemos práctica, pues yo tengo hermano y ella primos, pero menos mal que Roxana no había entendido eso de "atiplada", porque habría sido capaz de ponerse a llorar y la señora le hubiera dicho "chillona" y ella hubiera llorado más y, bueno, aquello hubiera sido como dice mi madre: "el cuento de nunca acabar".

Como Pilar, Roxana y yo somos muy curiosas, nos estábamos fijando en todo conforme recorríamos la casa, pero no pudimos ver mucho, porque la mayor parte de las cosas estaban en cajas. Conocimos la sala y los pasillos, que no tenían nada de especial. Solo vi algo curioso: en una puerta había una tarjeta que decía BAÑO y en la puerta del cuarto de Angie había otra que decía CUARTO DE ANGIE (otra de las cosas raras de la señora a las que se refería nuestra nueva amiga). Donde sí había más para admirar era en el cuarto de Angie: tenía muchos libros, un ordenador y un gran armario. Roxana no tardó nada en ir a husmear la ropa de mi vecina. A Roxana la podías volver loca con medio vestido y un zapato. Y, claro, Pilar otra vez fue indiscreta:

—¿No tienes tele?

—No. Yo prefiero leer o estar en el ordenador y a mamá no le gusta mucho... —entonces agregó apenada—: Oíd, perdonadla en serio.

—¿Qué significa "atiplada"? —preguntó Roxana, pero nadie le respondió.

Pobre Angie. Todavía cuando nos despidió nos dijo:

—Yo creo que las tres sois muy guapas.

Me imagino que era su manera de querer corregir lo que su mamá había dicho. Cuando se lo conté a mamá, solo me dijo:

—Esa señora debe de estar sola y simplemente está muy encariñada con su hija. La vi y se nota que es ya un poco mayor.

Pero yo más bien pienso que debe de estar un poco loca. Quién sabe.

El miércoles Angie vino a clase por primera vez. La maestra la presentó a todos y mi nueva vecina se acercó a sentarse conmigo.

Poco después comenzamos a abrir los cuadernos para hacer unas divisiones cuando Angie me pasó por debajo del pupitre... nuestros nuevos carnés.

¡Estaban geniales! Nadie podría decir que los habían hecho un grupo de niñas, claro que en realidad quien los había hecho era un ordenador, pero de todas formas daba gusto haber tenido algo que ver en algo tan bonito, a fin de cuentas los colores los había escogido yo, no la máquina. Decidimos esperar al recreo para enseñárselos a Pilar y a Roxana.

Los niños, desde luego, son bien tontos. Ya lo sabía yo. Desde que salimos al recreo, empezamos a ver grupitos de embobados murmurando. Se notaba a cincuenta kilómetros que se morían por Angie. A Roxana no le debió de hacer mucha gracia, pero por extraño que parezca a Angie le hizo todavía menos gracia.

Alguna vez he soñado que mi madre me llevaba a un salón de belleza de esos carísimos que anuncian en la tele y que yo había escogido el peinado de una artista famosa y que al llegar a la escuela todos me miraban asombrados, que no dejaban de observarme y que hasta José Luis, el niño de quinto que tanto me gusta, se me acercaba y me decía: "Oye, ¿te han dicho alguna vez que eres preciosa?". Bueno, ya sé que eso sucede en todas las películas, pero a mí me gustó oírlo, porque preciosa solo me llaman mi papá y mi tío Paco. Y antes de que pudiera responder algo, José Luis me preguntó: "¿Quieres bailar?". Entonces ya no era el patio de la escuela, sino un gran salón de baile con luces en el techo, las paredes y el suelo; y yo bailaba con él, me iba a besar, y claro, como siempre pasa en los sueños, en ese momento me despertaba.

Ya sé que mi sueño es un poco raro, como todos los sueños, pero me acordé de lo que soñé porque justo eso que me pasó en mi sueño le estaba ocurriendo a Angie. Todos los niños la miraban, y eso que ella no había ido a ningún salón de belleza famoso. Bueno, pero entonces pasó lo que no podía creer: José Luis y sus amigos también la miraron y comenzaron a cuchichear. Y tal y como había ocurrido en mi sueño, José Luis se acercó hasta nosotras. Claro que en mi sueño él me miraba a mí y ahora el niño no despegaba la vista de Angie. Tenía ganas de no haber soñado nunca eso o de decirle a José Luis que así no iba la cosa. Mirando a Angie él dijo:

—Oye, ¿te han dicho que eres preciosa?

Me quería morir. Entonces me pellizqué para despertar de esa horrible pesadilla antes de que el patio se convirtiera en una pista de baile y José Luis y mi amiga se besaran. Pero claro está, nada de eso pasó, en cambio sucedió lo que yo menos hubiera imaginado. Angie le hizo un gesto de "no me interesas" y le dijo:

—¿Y a ti te han dicho que de original no tienes nada?

Él se quedó con un palmo de narices. No supo qué hacer, así que Angie agregó:

—¿Por qué no te vas? Estoy hablando con mis amigas.

José Luis se fue y entonces Angie nos miró y comentó:

—Pero qué niño más odioso.

Roxana estaba impresionadísima. Y Pilar no dudo en decirle:

—Oye, es el niño más guapo de la escuela.

—Eso no le quita lo odioso.

Y sin más, Angie sacó los carnés y se los mostró a Roxana y Pilar que, ante la sorpresa de lo bien que habían quedado, olvidaron lo ocurrido. Angie ya me caía todavía mejor. Claro, pudo quitarme a José Luis y no lo había hecho.

Al regresar a la clase, algo todavía más increíble pasó. En la pizarra de los rotuladores estaba dibujado un gran corazón en el que habían escrito ANGÉLICA, pero después del necesario Y, no aparecía un nombre, ¡estaban los de todos los niños de la clase! Con Roxana no había pasado de que dos o tres niños se murieran de amor por ella, pero a Angie se le estaba declarando todo 4.º B. ¡Qué cosas! Ni en el sueño más loco me hubiera pasado eso a mí. Los únicos nombres que no estaban ahí eran los de mi hermano y Quique –primera cosa que hacen, o más bien que no hacen, que merece un poco de respeto–. Hasta el traidor de René había firmado. Al ver el tremendo corazón, Angie se fue de la clase sin decir palabra. Cualquiera lo habría hecho ante semejante lío. Yo creí que había salido a llorar y ya estaba yo a punto de decirles unas cuantas cosas a todos los brutos de mi clase (no me importaba que a partir de ese momento todo el mundo me hiciera el vacío), cuando de pronto regresó Angie con una esponja mojada y sin decir nada borró el corazón, para después sentarse. Entonces se me ocurrió por fin que eso de ser tan guapa no debe de ser tan bueno. Si por todos lados lo oyes, el que otro te lo diga no debe ser un halago sino un fastidio, aunque se trate de alguien tan guapo como José Luis.

Estaba pensando esto cuando me encuentro con una carta en mi sitio. Se me ocurrió que seguramente sería otra broma de los niños para Angie, y claro que pensé que ya era demasiado para un día, pero no. No era una carta de amor. La abrí y descubrí de quién venía: del "Club de Esploradores de Orión". ¡Dios mío! Mi hermano y sus amigotes querían hablar con nosotras a la salida. Ya habían hecho su club y ni siquiera sabían escribir "exploradores".

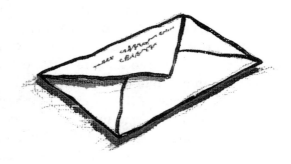

5

¡DIABLOS! No puedo negarlo. En cuanto el miércoles la maestra Anita nos presentó a la nueva niña, Angélica Melgar, no pude evitar quedarme con la boca abierta. Realmente era muy guapa. Tenía el pelo rojo –no me había equivocado–, una cara muy bonita, llena de pecas, pero lo más impresionante eran sus dos grandes ojos verdes. Y si varios del grupo ya se morían por los ojos azules de Roxana, ahora no quería ver lo que iban a provocar los ojos de la niña nueva.

Qué curioso. De inmediato se sentó junto a mi hermana. Parece que se llevaban bastante bien. Tal vez ya hasta la habían invitado a formar parte del club de las Amazonas o como se llamara su club. Pero eso no importaba, teníamos que seguir con lo que Quique y yo ya habíamos planeado.

Nos habíamos quedado fuera de mi casa Quique y yo hablando después de lo del susto que nos había pegado la Bongolé, cuando se nos ocurrió que no íbamos a permitir que un grupo de niñas se nos adelantara. Claro que antes Quique no quiso desaprovechar la oportunidad de discutir sobre la supuesta guerra entre humanos y animales, pero a mí eso ya no me divertía y se lo dije. Entonces él opinó:

—Te aburre porque no es una guerra real, pero si fuera real...

—Sí. Es como ver un partido de béisbol. Es aburridísimo. Lo bueno es jugarlo.

Entonces se me ocurrió:

—¡Claro! Podemos tener nuestra guerra.

—Estás loco. Ni yo podría tener ejércitos ni tú podrías reclutar animales.

—No. No me refiero a eso. Me refiero a otro tipo de guerra.

Retaríamos a las Amazónicas. Era la única forma de demostrarles que una cosa tan seria como ser explorador o investigador no permitía gente que jugara a las comiditas o se chiflara por el color rosa.

—Eso –dijo Quique entusiasmado–, les mandaremos una declaración de guerra.

Claro que había un problema. Hasta en la más insignificante declaración de guerra aparecen los nombres de los que se declaran la guerra. Urgía encontrar un nombre para el club. Quique me preguntó:

—¿Cómo se llamaba el club de tu tío?

—Exploradores del Mar de las Tempestades.

—¿Y por qué no le ponemos Exploradores del Mar de las Tempestades II?

—Mi hermana se burlaría de mí toda su vida.

Entonces miré el letrero que daba nombre a nuestra calle, y sin decir nada se lo mostré a Quique. Él lo miró, luego nos miramos y pensamos: "¿Por qué no?".

El día siguiente, durante el recreo, redactamos la carta. Claro que no teníamos experiencia en eso de declarar la guerra, pero pensamos que podría ser algo más o menos así:

> *Club de esploradoras Amazónicas:*
> *El Club de Los Esploradores de Orion os quiere abisar de que la Sociedad Mundial de Exploradores dice que no son posibles clubes como el vuestro, ya que todas vosotras sois mujeres, y como todo el mundo sabe, ninguna mujer puede tener lo que un esplorador que se respete debe tener, o sea, ser valiente, inteligente y fuerte. Lo mas natural seria que mejor deshicierais vuestro club y nos dejarais a nosotros ocuparnos de los asuntos que solo los hombres pueden acer. Pero si vuestro deseo es empeñarse y ser tercas, entonces os retamos a que nos demostreis que realmente sois dignas de ser esploradoras. Os retamos a que realiceis una mision que solo unos verdaderos valientes serian capaces de hacer.*
> *Esto mas que un reto es una declaracion de guerra. Esperamos que seais sensatas y que decidais desacer vuestro grupo.*
> *Firman los honorables miembros del Club de Los Esploradores de Orion.*

Y ahí estaba el papel, firmado por René, por Quique y por mí. Lo de la Sociedad Mundial nos lo habíamos inventado, para asustarlas nada más. Pero creo que quedaba muy claro: era un reto para que las niñas demostraran si realmente eran tan valientes como los hombres. Seguramente les iba a dar miedo el reto y no iban a aceptar. Y si aceptaban, todo iba ser muy divertido porque teníamos pensado algo que ninguna mujer sería capaz de lograr sin hacérselo en las bragas o sin llamar a su mamá llorando.

Claro que no contábamos con que la niña nueva tal vez era ya parte del club y que René, claro, iba a cambiar sus gustos:

—¿Habéis visto ya a la niña nueva?

—Es guapa –dije, procurando que no se me notara que me parecía "muy guapa".

—¿Guapa? Es preciosísima. Creo que estoy enamorado.

—¿Y qué pasa con Roxana?

—Roxana ya es historia. Nunca nos hemos podido entender.

—Claro. Si no tartamudearas cuando la ves, tal vez podríais entenderos.

Y era cierto. Y no me imaginaba que René se atreviera a decirle una sola palabra a una niña más guapa que Roxana. Y Quique opinaba igual:

—No creo que seas capaz de decirle siquiera hola.

—Claro que podría. Es más, vais a ver de lo que soy capaz.

Entonces René hizo algo que nadie normal en ningún lugar del Universo haría durante el recreo: ir a la clase.

Lo seguimos y, bueno, hizo la cosa más ridícula

del mundo. Pero ya no le quise decir nada. Pintó un enorme corazón con el nombre de Angélica y el suyo en la pizarra de los rotuladores. Intenté que parara, pero ya lo había hecho. Le dije que con eso lo único que conseguiría era que Angélica lo odiara –a ninguna niña le gusta que la pongan en ridículo frente a todos–. Entonces René nos dijo, riendo, que no pensaba dejar el corazón.

—No estoy loco –añadió.

Intentó borrarlo, pero vimos, sorprendidos, que no se iba. El bobo de René no lo había pintado en la pizarra con el rotulador especial, sino con uno que solo se borra con jabón. El recreo estaba a punto de terminar. Entonces René sí que se asustó. Ya se veía soportando la vergüenza ante toda la clase.

—Cerrad la puenta... la puesta... la puerta –tartamudeó, y cuando René empieza a tartamudear es que ya hay problemas–. Aduyadme –decía, mientras con saliva intentaba borrar su declaración de amor.

—Cálmate, René. Solo hay que ir por un trapo mojado.

Yo estaba a punto de ir por un trapo y cerrar la clase cuando llegó el gordo de Carlos Lozada, que es bastante chismoso, y se acercó a René, que intentaba cubrir con su cuerpo el corazón pintado, pero era demasiado tarde:

—¿Qué estáis haciendo? –dijo mientras apartaba a René y, mirando el dibujo, para sorpresa de los tres, añadió–: ¡Conque quieres a la nueva para ti solo! ¿Eh, René?

Y ahí puso su nombre, junto al de René. Llegó después Patricio Lara y preguntó qué hacíamos. Entonces a Quique se le ocurrió:

—Estamos declarándonos a la niña nueva.

Patricio se acercó. Tomó el rotulador y puso también su nombre, mientras decía:

—Yo no me voy a quedar atrás.

En eso sonó el timbre que anunciaba el final del recreo y fueron apareciendo los otros de la clase, y apenas veían el corazón, se apuntaban. Las niñas que iban llegando miraban la escena y no decían nada. Estaba claro que no les gustaba nada que una niña nueva ocasionara tal tontería. Yo no podía creerlo; René se había salvado.

Claro que en cuanto Angélica entró en la clase, tal y como me lo había imaginado, no le gustó nada lo que vio. Se acercó a la pizarra y se dio cuenta de que el rotulador era imborrable, así que salió a buscar una esponja mojada, borró la declaración del grupo y se dirigió a su sitio, sin siquiera mirar por un instante a ninguno de los que firmaron. Yo, por mi lado, me había aprovechado y mientras todos firmaban el corazón, había puesto en el sitio de mi hermana nuestra declaración de guerra. Pude ver entonces cómo Susana la tenía en sus manos mientras Angélica tomaba asiento. Luego abrió el sobre y leyó la carta. Y justo en el momento en que entraba la maestra, mi hermana gemela me miró, pero me molesta decir que no parecía nada asustada. Le mostró la carta a Angélica y después no sé qué se dijeron. Y un momento más tarde, mi nueva vecina miró hacia donde estábamos René, Quique y yo. Sí que era guapa. No puedo negar que cuando todos firmaron el corazón, por un momento me dieron ganas de hacerlo, pero pensé que eso no valía si no lo hacía uno solo. Entonces en mi cuaderno, sin que nadie viera, hice mi propio corazón. "Angélica y...". De pronto me dio vergüenza lo que estaba haciendo y lo rayé todo. Sí, la niña era muy guapa y, por eso, seguro que era una pesada. Si Roxana me caía mal por creída, ya presentía que la nueva niña y vecina me iba a caer peor que una tarea de treinta quebrados.

En cuanto salimos de clase, vimos a las niñas. Eataban junto a la papelería; nos sentamos haciendo una rueda. Estaban Susana, Pilar, Roxana y, claro, Angélica.

Y fue Quique el primero que habló:

—¿Y bien? ¿Qué decís, niñas?

A lo que Susana respondió muy decidida:

—En nombre del Club de las Amazónicas, aceptamos vuestro reto.

—Claro que tenemos que deciros –vaya, Angélica tenía la voz bonita– que no estamos de acuerdo con vuestras maneras machistas, pero en fin...

Y después Pilar:

—Nadie cree eso de la Sociedad Mundial de Exploradores, niños tontos.

—Está bien. Lo importante es que habéis aceptado –intervine.

—Pero tenemos una condición –dijo Susana–.

Estamos dispuestas a cumplir con la misión que nos encomendéis siempre que vosotros cumpláis con la que nosotras os encomendemos.

—¿Qué? –contestamos Quique y yo. René, como os habréis imaginado, no podía articular palabra. Tenía frente a él a las dos niñas más bonitas de la escuela y ni mi hermana ni Pilar servían para compensar.

—Claro –dijo entonces Angélica con mucha seguridad–, no esperaríais que nosotras hiciéramos así como así vuestra voluntad, ¿verdad? Las cosas deben ser iguales para que sean justas.

No habíamos pensado en eso, pero reconocimos que tenían razón. Susana continuó:

—Si queréis que demostremos nuestra valentía, entonces vosotros también tendréis que demostrar la vuestra.

Pilar, ya totalmente agresiva, como siempre, añadió:

—Que seáis hombres descerebrados no quiere decir que sois valientes.

Ya solo faltaba que nos atacara Roxana, y lo hizo:

—Os demostraremos que somos más "hombres" que vosotros.

Todas estaban en el mismo plan y Angélica no me quitaba la vista de encima. Y la verdad es que nunca me había pasado que me pusiera nervioso si una niña me miraba. ¿Sería por los ojos verdes? No pude sostenerle la mirada. Los tres hombres nos quedamos callados. Muy callados. Eran cuatro contra dos, porque a René, que había enmudecido por completo, no podíamos contarlo.

Entonces Susana habló:

—¿Y, no vais a decir nada? ¿Os ha comido la lengua la Osa Menor? –dijo, mientras las otras se reían–. Sois tan originales que os habéis puesto el nombre de la calle.

—¿Por qué no habéis escogido Club de la Avenida del Sol? –continuó Pilar con la burla–. Es una calle más bonita.

—Además, si queréis ser exploradores, aprended a escribirlo. Explorador va con equis, no con ese –dijo mi hermana, y agregó para rematar–: ¿Qué os parece el sábado?

Nos miramos René, Quique y yo. Ese era el colmo de la humillación. No quedaba otra posibilidad. No podíamos negarnos a aceptar el reto de cuatro niñas. Fue René quien dijo por los tres:

—Ace... acep... tamos.

Claro que tartamudeó, pero al menos habló.

5

No sé si fue buena idea aceptar este reto, pero a todas nosotras nos dio mucho coraje que ese trío de machistas nos considerara inferiores o algo así. Por eso el mundo está lleno de hombres que golpean a sus mujeres, así empiezan desde niños con esa estúpida costumbre de hacer de menos a las mujeres. Ahora que podíamos demostrarle aunque sea a un grupo de niños tontos cómo las mujeres somos tan buenas o mejores que los hombres no íbamos a dejar pasar la oportunidad. Las mujeres del mundo nos lo agradecerían, bueno, al menos las niñas del mundo.

Vaya con Alfredo. Seguro que fue idea suya. Sabía perfectamente que me iba a aterrar. Puse mi mejor cara. Una cara de mujer "muy macha", para no demostrar que la misión encomendada de verdad me espantaba.

Teníamos que capturar un... un... ¡se me pone la piel de gallina solo de pensarlo!... un sapo... ¡VIVO!

Ya sé que soy una ridícula, pero los sapos me dan terror. Son una cosa asquerosísima: babosos, resbalosos y con la piel arrugada. Además de que yo tenía una pesadilla de esas que no la dejan a una en paz, los llaman "sueños recurrentes". Siempre era lo mismo: me despertaba en mi cama en la noche y veía mi cuarto tapizado de sapos y ranas. Los veía caminar y saltar por las paredes y el techo, y yo me quedaba muy quieta para que no se me cayera uno encima y nada más veía cómo las paredes y el techo parecían vivos, porque palpitaban de tanto animal, y entonces de pronto alguien abría la puerta y se me venían todos los papos... ya ni sé lo que digo. Así de nerviosa me pone hablar de esas cosas... Todos los sapos y ranas se me venían encima. ¡Qué horror!

El jueves y el viernes pasaron rápido, sin gran novedad, y esa noche... Caramba, a pesar de que antes de dormir me repetí varias veces: "No voy a soñar con sapos... no voy a soñarcon sapos... Novoyasoñar con sapos... novoyasoñarconsapos... novoyasoñarconsapos...". Pasó lo que tenía que pasar: Soñé con los sapos. Yo creo que estaba nerviosa por la supuesta misión.

Finalmente era sábado, y después de desayunar me reuní con las niñas en casa de Roxana, pero antes pasé por casa de Angie, y justo cuando iba a tocar el timbre de su puerta, salió ella y me hizo gesto de que no dijera nada. Llevaba su cuaderno y el libro de ejercicios de matemáticas. Estaba a punto de decirle que no era necesario llevar eso, pero que sí eran importantes las botas y los guantes, si es que tenía. Por suerte no dije nada, porque en ese momento apareció detrás de la puerta su mamá. Y me comentó:

—Qué bien que vas a ayudar a mi ángel a po-

nerse al corriente. No tendrá ningún problema, ¿qué vais a estudiar?

Angie le había dicho a su madre que yo iba a ayudarla a estudiar o algo así. Para nuestra suerte yo llevaba los guantes en una bolsa, y aunque un poco nerviosa, le seguí el juego a mi amiga:

—Vamos a estudiar divisiones, señora.

—Pues Angie es experta, ¿te lo había dicho...? ¿Cómo decías que te llamas?

—Susana, señora.

—No. No me parece que tengas cara de Susana, más bien como que tienes cara de Noemí o de Araceli. Bueno, no importa, tú no tienes la culpa.

Yo estaba muy incómoda. En cualquier momento la señora me diría que tenía cara de ratón asustado o algo así.

Entonces Angie la interrumpió:

—Mamá, ya nos vamos. Tenemos mucho que estudiar.

Salimos rápidamente de allí, pero la señora todavía pudo añadir:

—Gracias otra vez, Noemí.

No me atreví ni a decirle a Angie que su madre me daba miedo —¿a quién no le daría miedo una persona que de un momento a otro te cambia el nombre?—. Ella, como si me hubiera leído la mente, me dijo:

—A veces mi madre me da miedo hasta a mí.

—¿Está enferma?

—Le dan unos dolores muy fuertes en la cabeza. Debe tomar unas pastillas que le recetó el médico.

Y aunque las medicinas le quitan el dolor, siempre que las toma se comporta de una manera muy extraña. A veces no sé si me gusta que tome las medicinas, después de todo.

Preferí no seguir tocando el tema.

El papá de Roxana es lo que se llama un gran aficionado a la jardinería y tenía varios pares de botas, de esas gruesas hechas de llanta, y Roxana se las había pedido prestadas. Necesitaríamos, además, un frasco de vidrio para meter al... bicho asqueroso. Todas íbamos vestidas con vaqueros viejos y una blusa holgada, también habíamos decidido tomar prestados los guantes de cocina de nuestras madres; si era necesario tocar una cosa tan repugnante como la piel de un sapo, al menos lo haríamos con una protección por medio. Además, hicimos unas redes con palos de escoba a los que les habíamos atado en un extremo una bolsa de plástico. "Mujer prevenida vale por cuatro." (Esta frase se me acaba de ocurrir y no suena mal.)

En casa de Roxana terminamos de prepararnos. Realmente teníamos buen aspecto. Las botas que le tomamos prestadas al padre de Roxana eran un poco grandes, pero nos protegerían.

Bueno, la única que desentonaba un poco por no hacer caso en aquello de llevar ropa vieja, pues no podíamos descartar un posible accidente y que algo le pasara a nuestros vestidos, era Roxana, quien llevaba vaqueros, sí, pero unos morados muy bonitos, que hacían perfecto juego con una coqueta blusa lila también muy nueva. Roxana será muy guapa, pero no es nada precavida. Lo único bueno es que ella sí llevaba botas de su número, pero ya veríamos qué pasaba si se caía en el estanque. ¡Adiós ropa bonita!

Yo no estaba segura de que hubiera sapos todavía por aquí, con lo de la contaminación de la ciudad de México y todo lo que dicen en las noticias, pero los niños nos dijeron que en la fuente del parque de la Avenida del Sol todavía se podían encontrar. Es una fuente abandonada que acabó convirtiéndose en un tanque muy grande de agua y que nadie cuida porque ni siquiera parece una fuente; es rectangular y cuando llueve, el agua se estanca y se convierte en todo un pantano, donde yo lo único que he visto son unos mosquitos muy feos y de grandes patas que patinan sobre el agua.

Cuando llegamos al estanque, los niños ya estaban allí. No necesito decir que se rieron bastante de nuestras botas, nuestras redes y nuestros guantes: "que parecíamos poceros", "que si íbamos a cazar mariposas" y no sé cuántas cosas más. Pero nosotras estábamos decididas a no hacerles caso para nada.

René no pudo evitar intentar un saludo amistoso:

—Hola, Roxana. Hola, Angie.

Pero ellas no le contestaron porque ni lo oyeron.

Inmediatamente nos organizamos. Nos dispersaríamos por la fuente y la primera en encontrar un sapo se lo gritaría a las demás, para que entre todas lo capturáramos. Y aunque el agua de la fuente era de lluvia, la verdad es que estaba bastante cochina.

Fuimos metiéndonos con cuidado. Primero entré

yo, y de inmediato noté que el fondo estaba terriblemente resbaloso. Entonces decidimos hacer una cadena e ir pisando con cuidado. Empezamos a avanzar y a mover el agua y las piedras con las redes. Los niños no dejaban de criticarnos. Y nos gritaban: "¡Cuidado, no os vayáis a caer! ¿Cómo no os habéis traído los flotadores?", y una serie de tonterías más. Lograron ponernos nerviosas, sobre todo a Roxana y a Pilar.

—No les hagáis caso –les decía Angie–. Mira, Pilar, levanta esa piedra; tal vez por ahí haya uno.

—No. Me da cosa.

—No seas miedosa —dijo Roxana, y entonces se acercó a levantar la piedra. Pero no había nada.

Empezamos a recorrer el estanque, pero solo se veían los odiosos mosquitos que patinaban por todos lados. Había mucha basura por ahí y suponíamos que en los botes de pintura o en las latas del fondo seguramente podrían estar escondidos los sapos, pero nos daba miedo mover cualquier cosa. Al fin habíamos recorrido toda la fuente dos veces, pero no vimos nada. Entonces llegaron por una orilla los odiosos niños.

—No os metáis –les grité.

Y Alfredo dijo:

—¿Cómo vais a encontrar a los sapos si no movéis la basura? ¿Por qué no buscáis en ese bote?

—No. No mováis nada.

Alfredo y Quique empezaron a mover el bote con unas varas, ante nuestras protestas. Entonces, ¡zas!, que el bote se da la vuelta y salen saltando tres sapos enormes. Justo hasta donde estábamos nosotras. Me asusté tanto que agarré a Pilar, y ella a su vez agarró a Angie del brazo, las piernas nos patinaron a todas y ahí nos fuimos, ¡splash!, al agua. Solo Roxana se salvó (Roxana, aparte de guapa, a veces tiene suerte). Todas nos levantamos rapidísimo. Estábamos empapadas. Angie dijo, asustadísima:

—Mi madre me va a matar.

Los niños estaban muertos de risa. Roxana se echó furiosa contra ellos, pero no fue la única: Angie tomó una piedra y se la tiró.

—¿Por qué os metéis?

Pilar y yo decidimos hacer lo mismo. Ahuyentamos a los niños con lo que nos encontrábamos por allí: piedras, latas y más piedras. Los tres cobardes gritaban: "¡Esperaos! ¡No seáis salvajes!". En eso, me fijé en que Pilar cogía una piedra del estanque y, antes de tirarla, se quedaba petrificada. Angie y yo, extrañadas, le dijimos:

—¿Qué te pasa?

Sin decir nada, nos mostró su mano. No había agarrado una piedra, sino un asqueroso sapo negro que se retorcía. Y ella, de la impresión, no lo soltaba.

—¡Suéltalo, Pilar! –le grité asustadísima.

Pero entonces Roxana le gritó:

—¡No lo sueltes! ¡No lo sueltes!

Angie, obedeciendo a Roxana, se acercó y cubrió al sapo con su red.

¡Lo teníamos!

—¡Ya lo tenemos! –gritó Roxana.

Pero Pilar no decía nada y no soltaba el sapo.

—¡Suelta el sapo, Pilar! ¡Suéltalo!

Y así, de sorpresa, Angie le dio a Pilar en la mano, y ella pegó un grito, soltó el sapo y salió corriendo del estanque en tres segundos.

Angie y yo salimos del estanque con el sapo en la bolsa. Roxana, a la que no le daba cosa tocar a los animales, fue quien lo agarró y lo metió en el frasco. Lo habíamos logrado. La misión estaba cumplida.

Mientras gritábamos y nos abrazábamos felices, los niños, furiosos, refunfuñaban. Entonces se me ocurrió al verlos: ¿cómo sabían los niños que moviendo ese bote...?

6

LAS niñas son odiosas. No sé cómo lo hacen, pero siempre se las ingenian para salirse con la suya. No quiero ni hablar del asunto, pero a pesar de que llegaron a cazar el sapo gracias a la exageración de equipo que llevaban –las botas, las redes y los guantes de cocina–, lo hicieron: capturaron un gran sapo. Confieso, en secreto, que nosotros sabíamos que por aquí ya no existen sapos en ningún charco, así que hicimos un pequeño truco. El viernes por la tarde fuimos a una tienda de mascotas y compramos, entre los tres, los sapos más grandes y feos que encontramos, y luego, antes de la hora de la cita en la fuente del parque, conseguimos meter a los tres animales dentro de un bote, en un lado de la fuente. Lo único malo es que con lo miedosas que son las niñas, las ayudamos un poco, para que movieran el bote correcto. Se cayeron, se empaparon y todo, pero lo agarraron. Creímos que no iban a ser capaces, pero lo hicieron. Con todo y que mi hermana les tiene terror. Solo espero que no sospechen que nosotros los pusimos allí. ¡Diablos! Me sentó muy mal que cumplieran la misión las Amazónicas. También, no sé por qué, me dio tristeza ver que Angélica se enfadaba tanto con nosotros, pero tenía razón, se habían empapado todas. Es la primera vez que me importa que una niña se enfade conmigo, qué raro... En fin, ahora había que pensar en algo peor: la misión a la que nos enfrentaríamos, que por cierto, no era nada fácil: teníamos que entrar nada menos que en la casa del Jardinero Loco.

La casa del Jardinero Loco es una gran casa abandonada y la llaman así porque, según cuentan, allí vivía una familia muy rica que tenía a su servicio a un jardinero que, sin razón alguna, de pronto se volvió loco y una noche confundió a la familia con los árboles que podaba y les cortó la cabeza a todos y al final se la cortó él mismo. Y desde entonces, nadie ha querido vivir allí, dicen que el espíritu del Jardinero Loco todavía ronda la casa y que aún se oyen sus tijeras cortando los árboles del jardín posterior. Nadie ha visto ese jardín porque hay unas vallas enormes que lo protegen de la mirada de los curiosos, pero todos aseguran que está muy cuidado y que hasta hay unos grandes rosales que alguien poda misteriosamente.

Las niñas están locas. No solo querían que entráramos sino que trajéramos una de las famosas rosas del jardín. Fue ahí donde protesté. No entendían que esto de los fantasmas era cosa seria y que por entrar a robarle una rosa al Jardinero Loco tal vez quisiera cortarnos la cabeza como era su costumbre.

—Si el Jardinero Loco nos corta la cabeza, tú se lo vas a tener que explicar a nuestros padres –le dije a Susana, como si eso fuera gran ayuda.

—Eso del Jardinero Loco es un puro cuento.
Quique, ofendido, le dijo a mi hermana:

—Claro que es verdad. Nos contaron que una
vez unos novios entraron en la casa para besarse
y entonces se les apareció el jardinero y les cortó
las cabezas.

—Os creéis todo lo que oís. ¿Quién os contó
eso? ¿El mentiroso de Julián Godínez?

—Pues no, fíjate –dije, claro que en ese momento me pareció que realmente Julián algo nos
había contado, no sé si lo de los novios o lo de
las rosas.

Roxana nos dijo:

—Solo vosotros os podéis creer que un jardinero
va a regresar del más allá para seguir cuidando un
jardín.

Había que poner inteligencia para responder
a eso.

—¿Qué? ¿No has oído hablar de las almas en
pena? ¡Es muy peligroso meterse con las almas
en pena!

Entonces Susana nos reclamó:

—Nosotras odiamos los sapos y de todas formas
hicimos lo que nos dijisteis.

Así que tuve que responderle:

—Pero eso es diferente. Los sapos no tienen tijeras, ni le andan cortando la cabeza a nadie.

Angélica entonces vio la oportunidad de hacernos quedar mal:

—Pues decidnos si tenéis tanto miedo como
para no hacerlo, así acabamos de una vez con lo
que vosotros habéis empezado.

Otra vez nos tenían en sus manos. ¡Diablos y más diablos! Debíamos hacerlo.

Finalmente quedamos en que lo haríamos el domingo por la tarde, exactamente a las siete.

Para la hora citada, René, Quique y yo ya conocíamos el plan. En realidad no había gran complicación, ya que para entrar en la casa abandonada no tuvimos problema, estaba la reja torcida y además con una ventana rota a un costado.

Cuando llegamos a la entrada de la casa, las niñas ya nos esperaban, y observaron impresionadas lo que llevábamos y que era solo lo indispensable para una misión como esa: linterna, cuerda, una navaja, agua, además de...

—¿Dientes de ajo? –dijo asombrada Susana, al vernos los collares atados al cuello–. No vais a encontraros con Drácula.

Y luego, al ver a Quique, Pilar le dijo:

—Tampoco vais a la guerra. Estáis locos.

Y es que Quique, además de lo necesario, llevaba su pistola y su granada de juguete, su casco, y se había pintado rayas negras en la cara como camuflaje.

Ante la insistente burla, les dije a los exploradores:

—No hagáis caso.

Además, llevábamos algo que las tontas Amazónicas no sospechaban: una rosa, por si las cosas no salían bien.

Al notar la ausencia de Angélica, René no pudo evitar preguntar:

—¿Y Angélica? –y al ver que ni siquiera Roxana estaba–. ¿Y Roxana?

—No les dieron permiso en sus casas para venir. Pero no os preocupéis, ellas confían en nuestra palabra –respondió Susana.

A René no le dio mucho gusto, ya que esperaba lucirse ante Angélica o, en todo caso, ante Roxana. A mí tampoco me agradó que Angélica no estuviera allí, pero no porque quisiera impresionarla, tan solo me habría gustado verla.

Fijándonos en que nadie nos viera, entramos en el jardín delantero de la casa y nos dirigimos a la ventana rota, por la cual fácilmente pasamos.

En cuanto entramos, enfocamos con la linterna en todas direcciones. Solo se veían las paredes blancas ligeramente iluminadas por la luz de la calle. A los tres nos pareció raro lo que encontramos en ese momento. Las historias decían que la casa la habían dejado tal y como estaba en el momento de los crímenes del jardinero, pero no había un solo mueble en lo que seguramente habían sido la sala y el comedor. Esto me hizo respirar con un poco de tranquilidad, ya que sentí menos lúgubre la casa. Apuntamos nuestras linternas justo sobre las escaleras que nos conducirían al piso inferior y al jardín posterior.

Empezamos a bajar la escalera de cemento y que por suerte no crujía como las de todas las casas con fantasmas. Cada vez me sentía más tranquilo. Pero Quique de pronto dijo:

—¿Habéis oído?

Los tres nos detuvimos y solo escuchamos el silencio –aunque parezca raro, eso fue lo que escuchamos–. Y nada más. René le reclamó a Quique:

—Deja de imaginar cosas, Quique, que nos pones ne... ne... nerviosos.

Bajamos cada escalón con cuidado. Y al llegar al siguiente cuarto, que era un salón enorme, notamos lo mismo que en la sala: no había ningún mueble.

—¿Qué... es... eso...? –dijo Quique asustado–. Es la cabeza de alguien.

Quique brincó encima de René, quien dio un grito que a su vez me hizo a mí dar un grito. Entonces René y yo enfocmos las linternas y vimos solo unas pilas de periódicos en un rincón. Quique se merecía el abucheo que le dimos, mientras yo le decía:

—Aparte de miedoso te estás quedando cegato.

Vimos entonces ante nosotros un gran ventanal por el que entraba la luz de la luna, y que iluminaba por completo el exterior de la casa... todos nos quedamos pasmados al ver el gran jardín. Y al abrir con cuidado la puerta, nos dimos cuenta: era una selva descuidada y al parecer... sin rosas. ¿No se suponía que los jardineros cuidan los jardines? Sin pensar mucho en el asunto, nos organizamos: había que encontrar la rosa..., pero nada. No nos atrevimos a separarnos a pesar de estar todo en calma. René dirigió la luz de su linterna a un punto y pudimos ver un matorral con unas flores rosas...

—Esas no son rosas –susurró Quique, mientras René y yo tomábamos unas cuantas–. De esas flores hay en todos los jardines de por aquí.

Pero la situación no estaba como para ponerse exigentes, así que le dijimos:

—No importa. Llevemos algo. Antes de que se aparezca el jardinero.

—Sí. Además ya tenemos nuestra ro... ro... rosa de emergencia.

Tomamos las flores y nos encaminamos a la puerta del jardín. Entonces René dijo algo que a los tres ya se nos había ocurrido desde hacía rato:

—Ese Julián es un maldito mentiroso.

Estábamos cruzando la puerta muy despreocupados, convencidos de la inexistencia del Jardinero Loco, cuando Quique dijo nuevamente:

—¿Qué ha sido eso?

—Ya, Quique. No ha sido nada.

—No. Ahora sí he oído algo.

Entonces al guardar silencio, para nuestra mala suerte no escuchamos solo el silencio como hacía rato. Ahora había un ruido acompañándolo. Era un ruido metálico que se repetía una y otra vez. Y estaba cerca de nosotros. No era un coche o alguien clavando un cuadro en una casa cercana, o los dientes de Quique castañeteando... Tenía que ser:

—¡Las tijeras del Jardinero Loco!

Por poco me desmayo. Era cierto. El sonido de una tijeras de jardín, que se abrían y cerraban y que venía precisamente de atrás de uno de los árboles, se estaba aproximando. Solo se podía hacer una cosa...

—¡Corred por vuestra vida!

Los tres tiramos las linternas y corrimos atropellándonos hacia las escaleras. René era el que corría más rápido y nos dejó un poco atrás, pero en unos segundos habíamos llegado a la sala, y justo cuando estábamos por llegar a la ventana rota, se paró René en seco, yo me estrellé contra su espalda, y Quique contra la mía. Entonces todos fuimos a dar al suelo. Las gafas de Quique y su casco de guerra salieron volando. Y yo le grité a René:

—¿Por qué te has parado? ¿No ves que ahí viene el Jardinero?

Me le adelanté para huir. Si René no quería salir de allí, entonces...

Me paré de golpe.

Quique lloraba detrás:

—Mis gafas. No veo nada sin mis gafas. Mi casco.

Allí, justo frente a la ventana rota estaba nada menos que ¡la Bongolé!, con sus mechas horribles, su vestido antiguo y su cara blanca, iluminada por la luz de la luna. ¿Cómo había llegado? ¿Era amiga del Jardinero? ¿Venía a vengarse de mí? Es cierto que ninguno de estos pensamientos me pasó por la cabeza en ese instante, solo un terror me paralizó igual que a René. Entonces escuchamos unos pasos que empezaban a trepar por la escalera y el sonido de las tijeras. No había decisión posible: la Bongolé o el Jardinero, el Jardinero o la Bongolé. Entonces René dijo:

—Préstame tu granada, Quique.

René, que es un fanático del béisbol, preparó un lanzamiento tremendo, tiró su brazo hacia atrás y luego hacia adelante y le lanzó la granada a la muñeca. Fue un tiro perfecto. Le dio exactamente en la cabeza y la hizo volar apartándola de la ventana. En un instante cruzamos el hueco. Yo había tenido que empujar a Quique, que no había logrado alcanzar ni su casco ni sus gafas y no veía nada de nada.

Gritando con todas nuestras fuerzas cruzamos el jardín y la reja, hasta alejarnos de ese lugar del infierno.

6

Si había alguien a quien realmente se le debía dar un reconocimiento de valentía es a Roxana. No importa lo que los niños puedan decir, mi valiente amiga no solo agarró un sapo con las manos sino que ahora se había atrevido a entrar en la casa del Jardinero ella sola.

Igual que todas las demás exploradoras, Roxana estaba segura de que los cuentos de la casa abandonada eran mentira y que si la mansión no se vendía, era solo a causa de su tamaño.

Debo reconocer que el plan trazado por nosotras no era muy limpio, pero no importaba. Justo después de haber capturado al sapo, Pilar esuchó a los niños decir: "Nos hemos gastado demasiado dinero en los sapos". Todo se aclaró. Por eso habían movido ese bote. Ellos los habían puesto allí. Los muy tramposos.

Así que los niños se merecían una lección. ¿Qué necesitábamos? Muy simple, una exploradora valiente dispuesta a entrar sola en la casa, unas tijeras de jardín y un toque final como el merengue en un pastel: mi muñeca Natasha.

Yo sé perfectamente que a mi hermano le aterra mi muñeca. Quién sabe por qué, pero así es. Los niños son un gran misterio del Universo. Me consta que una vez que durmió en mi cuarto cuando vino mi abuelo, hasta sacó a Natasha y la llevó a la alacena. Lo sé porque mi mamá me regañó por andar metiendo mi muñeca allí. La muñeca se le había caído en la espinilla mientras buscaba la harina −los golpes en la espinilla hacen mucho daño−, y la llevó furiosa hasta la entrada de mi cuarto, donde la dejó para no despertar a mi hermano. Yo preferí dejar las cosas así, sin que lo supiera Alfredo, porque me divertía ese oscuro miedo de mi hermano.

El plan era sencillo: antes de que los niños llegaran, Roxana entraría en la casa abandonada, con las tijeras; se escondería en el jardín y se haría pasar por el Jardinero Loco. Como los niños seguramente estarían muertos de miedo en el momento en que Roxana empezara a abrir y cerrar las tijeras, correrían intentando salir por donde hubieran entrado, pero justo cuando lo hicieran, se encontrarían con mi Natasha, a la que Pilar y yo habríamos puesto ahí para bloquearles la salida. ¿Cómo saldrían de la situación? Esa sería una sorpresa.

Puedo decir que todo salió de maravilla. Nunca sospecharon nada. Cuando les dije que a Roxana y a Angélica no las habían dejado venir, nunca pensaron que les estaba diciendo una mentira a medias −a Angélica, realmente su madre la había castigado por haberse mojado el día de los sapos.

Lástima que Pilar y yo no pudimos ser testigos

del tremendo susto que Roxana les dio a los niños con las tijeras. Solo vimos cómo los tres salían por la misma ventana, al borde del pánico. Salieron tropezándose y corrieron hasta llegar a nosotras. Estaban histéricos y, por eso, no pude aguantar la tentación de gritar mientras miraba hacia la casa:

—¡El Jardinero! ¡Ahí, en la ventana!

Los tres valientes se escondieron detrás de un coche.

Pilar entonces me dijo confidencialmente:

—¿Cuál jardinero?

—Tú di que también lo ves. Sígueme la corriente.

—¡Sí! ¡Lo he visto! ¡Es un viejo horrible y barbudo!

Los niños ni siquiera quisieron averiguar si era verdad. Corrieron tan rápido como pudieron a nuestra casa, por ser la más cercana.

Pilar y yo nos apresuramos a alcanzarlos. Eran capaces de contárselo a mamá. Los encontramos en el jardín delantero de mi casa.

—¿Qué queréis? ¿No veis que vienen tras nosotros?

—Sí. Hay que llamar a la policía.

—Hay que ir por mis gafas.

Entonces yo les repliqué:

—No hay ningún Jardinero Loco.

—Claro que lo hay. ¿No lo has visto?

—Os he mentido. No he visto nada.

Entonces los tres, al mismo tiempo, gritaron sorprendidos:

—¿Qué?

Yo solo les dije:

—A ver. Dadme la rosa.

Los tres se miraron y entonces René sacó unos geranios de la mochila que llevaba. Alfredo y Quique fruncieron el rostro sabiendo que René no había sacado precisamente una rosa. Pero ante su sorpresa, Pilar les dijo:

—Pues, en nombre del Club, os informo de que habéis pasado la prueba.

Los niños no parecieron entender. Por eso tuve que decirles:

—Nosotras sabemos que el Jardinero no existe. Si hubierais traído una rosa, entonces habríamos sabido que habíais hecho trampa.

Un poco más tranquilos, los niños comenzaron a reclamar:

—El Jardinero existe. A vosotras no os ha perseguido.

—Hasta me ha quitado mis gafas.

Un poco desesperada, Pilar les dijo:

—No seáis tontos. Los jardineros no tienen muñecas.

Los niños se quedaron callados, pensando, pero antes de que "cayeran del guindo", el sonido de unas tijeras que se abrían y cerraban interrumpió sus pensamientos e hizo que los tres decidieran entrar en mi casa mientras gritaban: "¡El Jardinero! ¡Auxilio, policía! ¡Mamá!".

Gritando con todas mis fuerzas, los detuve:

—¡Esperaos!... Mirad vuestro Jardinero Loco.

7

¡Dᴵᴬᴮᴸᴼˢ y más diablos! Podría poner palabras más fuertes, pero no quisiera que ni mi madre ni mi maestra pudieran leer esto por pura casualidad. Una vez estando en la cocina mientras comíamos con mi tía Roberta, se me ocurrió usar una palabra que empieza con ge y que rima con colibrí. Hablaba de un niño de la clase muy tonto, y yo por no decir tonto, porque ese niño era mucho más que tonto, dije la palabra. Mi madre y mi tía pusieron una cara... Entonces vino la pregunta: "¿Qué has dicho, Alfredo?". Y mi tía con las manos en la boca, con esa expresión tan de ella de "qué barbaridad". Y claro, no me iban a creer si les decía que había dicho colibrí. De todas formas lo intenté, pero no me creyeron. Aunque era posible, porque la frase completa habría sido: "Rubén Madariaga es un colibrí". Pero como no hay muchos colibrís con apellido, mamá se quitó un zapato y me dijo: "¡Ven aquí, Alfredo!". Y mi tía seguía con su cara de "qué barbaridad". Y yo sabía que era peor correr, así que me puse en la posición adecuada para recibir en el trasero. Desde entonces me cuido de emplear ciertas palabras, sobre todo esas que los adultos aparentemente dicen sin el menor problema: los conductores de los autobuses que a veces tomamos para ir al centro comercial de Satélite, el director de la escuela, el vecino de al lado y, bueno, me daban ganas de decirle a mamá que la palabrita se la había escuchado no solo a mi padre sino también a ella.

Quería decir palabrotas porque siento un terrible coraje contra las niñas. Ellas habían sido las encargadas de provocarnos un ataque al corazón cuando nos metimos en la casa del Jardinero Loco. Nosotros jurábamos que un tipo barbudo y con mono nos venía persiguiendo con sus tijeras para podar arbustos, pero no, solo se trataba de Roxana. La tramposa se había escondido en el jardín de la casa y se había hecho pasar por el Jardinero, y fue ella la que nos persiguió. Debimos habernos dado cuenta en cuanto vimos a la Bongolé bloqueándonos la salida, debimos habernos imaginado que mi hermana estaba detrás de todo esto, pero estábamos muy asustados. ¡Imaginaos, en el mismo momento tuvimos que enfrentarnos con una muñeca diabólica y con un jardinero cazador de cabezas!

No lo entendimos hasta que vimos a Roxana llegar a mi casa con las tijeras, la muñeca, las gafas y el casco de Quique. La verdad, primero sientes un gran alivio; el mundo de los fantasmas aún te considera demasiado pequeño como para perseguirte, pero después sientes un coraje tremendo. Claro que empezamos a gritarles sin parar, pero las niñas nos explicaron que lo habían hecho al enterarse de que nosotros habíamos puesto los sapos en la fuente.

Discutimos poco. Al fin y al cabo, tanto las Amazónicas como nosotros habíamos pasado la misión. Entonces decidimos darnos una pequeña tregua hasta el próximo fin de semana para hacer un desempate.

La semana pasó de manera normal. En la escuela no me salían los quebrados ni las divisiones con decimales. Quique insistía en que jugáramos a las guerras: en el recreo, con aviones de papel en medio de la clase o con submarinos pintados en nuestros cuadernos. René seguía babeando por Angie y a veces en el recreo se metía en los partidos de fútbol que se organizaban en el patio, pues eran buenísimos y a veces yo también jugaba cuando no había otra cosa más divertida que hacer. Eran equipos de treinta contra veinte y casi no había reglas. Si una niña tenía que pasar por ahí debía hacerlo fijándose en todo momento en la pelota. Cruzar el campo era tan peligroso como atravesar una pista de motocross. Una vez la bruta de mi hermana se arriesgó y recibió un balonazo en el estómago.

En esta semana los partidos multitudinarios de fútbol se habían hecho extrañamente cuidadosos. Cada vez que Angélica y sus amigas querían pasar, la pelota se detenía y se les permitía el paso de las niñas. Lo nunca visto. Ni siquiera Roxana había logrado antes el respeto del fútbol.

Pero el jueves pasó algo curioso. Quique y yo

estábamos jugando a las canicas cerca del campo de fútbol donde jugaban cuarenta contra cincuenta. Entonces vimos cómo justo cuando el partido de fútbol estaba en su máximo punto, Roxana quiso atravesar el campo en un momento especialmente peligroso y, por escapar, se cayó de cara.

No sé por qué, pero un impulso me hizo ir corriendo a ayudarla.

—¿Estás bien?

—No sé.

Miré su pierna. Se había raspado toda. La ayudé a salir de la zona de fútbol. Para nuestra suerte la acción del juego estaba del otro lado. Ayudé a levantarse a Roxana y le dije que se apoyara en mí. Era su bastón, pero noté que se apoyaba más de la cuenta. Entonces gritó:

—¡Ay, me duele la otra pierna también!

Sentí cómo su peso se iba al otro lado. Necesitaba ayuda de alguien.

Y antes de que Roxana se cayera, oí:

—¡Aquí estoy!

Era Angélica, que había abrazado a Roxana y pasaba su brazo por detrás de su hombro, mientras me sonreía. El partido se había suspendido –claro, Angélica estaba en zona de peligro–. Entonces llegó José Luis, un niño de quinto, e intentó que Angélica le dejara a él ser el ayudante de Roxana, pero Angélica lo ignoró y me dijo:

—¡Hay que darse prisa!

Solo Angélica y yo entramos con Roxana en la enfermería. La maestra Sandra, responsable de curarle la herida, nos pidió que nos quedáramos en la salita de espera. Hasta ese momento no me di cuenta de lo que estaba pasando: Angélica y yo nos habíamos quedado solos. Entonces supe lo que sentía René cuando no podía hablar con las niñas bonitas. Algo me decía –y yo creo que a Angélica también– que teníamos que hablar. Pero yo no podía. De pronto tenía la mente como una pizarra recién borrada. Y encima, los gritos de Roxana (yo creo que por el alcohol que le caía en la herida) me ponían más nervioso. Pero fue entonces cuando Angélica habló:

—Gracias.

—De nada.

Nuestra conversación podía haber ganado un premio por inteligente y divertida. Pero Angélica, como todas las niñas –debo aceptar que saben hacerlo bien–, supo seguir la conversación, porque la pizarra de mi mente seguía igual.

—Te caigo gorda, ¿verdad?

—No. ¡Qué va! –¡vaya con mi agilidad mental!

—No sé. Desde el otro día de los sapos, noto que me evitas.

—No. ¡Qué va! –y vaya con mi originalidad.

—Quiero mucho a tu hermana. Es una niña muy simpática.

—Sí, ¿verdad? –pero, ¿qué estaba diciendo? ¿Mi hermana simpática?

—Oye, estaba pensando que me gustaría que fuéramos amigos...

—Como tú quieras –dije. Y sentí que una sonrisa se me ponía en la cara. De pronto se me ocurrió algo y lo dije, había que aprovechar que tenía de nuevo palabras en mi cabeza:

—Qué lástima que tu madre te castigara el día de nuestra misión.

—¿Te digo un secreto? –me dijo mientras se me acercaba muy confidencial y entonces sentí ese miedo que va desde los pies hasta la cabeza y que hasta ahora solo la Bongolé y el Jardinero me habían hecho sentir–. La verdad es que mi madre no me castigó, lo que pasa es que ella está enferma y a veces no puede estar sola en casa y yo me quedo a ayudarla, como ese día.

—Pues, ¿qué tiene tu mamá?

—Es una enfermedad rara. A mí me da tristeza. Le hace olvidarse de las cosas. Y aunque no lo creas, a veces hasta se olvida de que soy su hija.

—Qué raro.

—Pero yo la quiero mucho... Ella me tuvo ya mayor y me quiere mucho... y yo no podría estar con otra persona.

De pronto salió Roxana con su rodilla vendada y curada. Jamás había estado yo tan contento y al mismo tiempo tan molesto de verla; contento porque si no entraba alguien en ese momento yo era capaz de salir a través de la ventana como Supermán, y no para salvar al mundo, sino para salvarme a mí mismo del ridículo que estaba haciendo con mi gran conversación; pero molesto porque era raro, pero me gustaba estar con Angélica, aunque me provocara tantos nervios.

Esa noche, mientras intentaba dormir, no podía sacar de mi cabeza aquella sonrisa y aquellos ojos verdes que me habían pedido ser amigos, y tuve que reconocer que por primera vez una niña me estaba gustando. ¡Diablos!

7

AL día siguiente, después de cenar, me acordé del lío que habían organizado los niños cuando se dieron cuenta de que Roxana y el Jardinero Loco eran uno solo, y me dio mucha risa. Entonces me acordé de que todos acabamos aceptando un empate entre los clubes y que si hacíamos un desempate, ya no podría haber trampas. En eso estaba cuando mi madre interrumpió mis pensamientos al dar ese acostumbrado grito destinado a mi hermano:

—¿Cuántas veces tengo que decirte que pongas tu ropa sucia en el balde verde?

A lo que yo no me pude aguantar:

—Se lo has dicho como quinientas veces, mamá.

Y ya me lo esperaba, Alfredo soltó:

—Tú no te metas, graciosa.

—Graciosa, pero no cochina, como otros.

Mi madre todavía dijo mientras recogía el desorden dejado por Alfredo:

—No sé por qué no podéis ser un poco más obedientes. Ahí tenéis a Angélica. Su madre no le tiene que pedir nada y ella le lava, no cinco cosas como yo os pido, sino todos los platos.

Entonces el bruto de mi hermano me dijo:

—¿Lo has oído, Susana? Desde mañana lavas todos los platos.

—Y tú desde mañana lavas toda la ropa.

Y claro, mamá intervino con esas acostumbradas palabras que ponen fin a todas las discusiones:

—¡Ya! Un día de estos voy a salir corriendo de aquí y a ver quién me alcanza.

Me puse a pensar en lo que había dicho sobre Angie y los platos y me acordé de que mi amiga me había dicho que si no le ayudaba, su madre le pegaba. Una vez hasta la había encerrado en el sótano de la otra casa donde vivían. Le dio mucho miedo. Creyó que a su madre se le había olvidado que la tenía en la oscuridad, pues la había dejado ahí más de cuatro horas.

Gracias a la presencia de Angie, estos días en la escuela se han hecho más divertidos. Por momentos creo que puede llegar a ser más amiga mía que Pilar o Roxana. Nos parecemos mucho, además de que a las dos nos gusta mucho leer (y claro, por eso le presté uno de mis libros favoritos de cuentos). Siento que además pensamos muy parecido, y eso me da gusto, porque siempre es importante hablar con alguien a quien le puedes contar tus cosas y te va a entender, no como ocurre a veces con mis otras amigas. Por ejemplo, la otra vez fuimos al entierro de un tío al que ni siquiera conocí, y sin embargo yo me impresioné mucho y esa noche me la pasé en vela y me puse a pensar: "¿Y si me despierto y ya no estoy aquí?". Sentí que la muerte era ya no existir y ¿qué se sentiría no existiendo? Seguro que nada. Entonces ¿se convierte uno en nada? Al día siguiente le expliqué lo que había pensado a Pilar y a Roxana y solo me dijeron:

—Yo también fui un día a un entierro y la verdad es que estuvo aburridísimo –Pilar.

—A mí me da tristeza que todo mundo vista de negro en los funerales –Roxana.

Sin embargo, presiento que estas cosas sí las podré hablar con Angélica, porque el martes fui a su casa y aunque tuve que soportar que su madre me dijera otra vez: "¿Cómo estás, Noemí?", hablamos de muchas cosas y entre ellas salió lo de los sueños recurrentes y coincidimos en uno de ellos.

Era un sueño muy bonito: las dos nos veíamos corriendo por una colina cubierta de flores mientras volábamos una cometa; corríamos más y más rápido y entonces comenzábamos a dar saltos que se hacían cada vez más y más grandes, y de pronto nos encontrábamos volando.

Uno de estos días voy a contarle a Angie mi miedo a morir, que ni siquiera a mi madre se lo he dicho. Ella me contó lo de la enfermedad de su madre y de cómo eso hace que la señora la trate mal, a veces sin darse cuenta.

Pero ahora quiero contar otra cosa. Yo no sé si mi hermano está recobrando las neuronas –que creo que así se llaman las células del cerebro–, pero ha pasado algo rarísimo. Sucede que el jueves Roxana intentó algo terrible: atravesar el campo de fútbol donde juegan los salvajes de los niños de todos los grupos; juegan sin reglas y sin número de jugadores. Yo no sé cómo les divierte eso, pero es peligrosísimo pasar por ahí; ya una vez me tocó a mí comprobarlo. Roxana insistió en ir por algo a la clase y se atrevió a pasar, pero con la prisa, ¡cuas!, se cayó. Todas corrimos a ayudarla, y se nos adelantó Angie, que corre muy rápido, pero antes de ella, Alfredo.

Alfredo había llegado hasta Roxana. Pude ver cómo la ayudó a levantarse mientras nosotros nos acercábamos.

Cuando llegué junto a Alfredo y Roxana, ya estaba Angie con ellos ayudándolos. También José Luis quiso ayudar a Angie, pero ella no se dejó. Yo no sé cómo lo hace para ignorarlo así.

Solo Alfredo, Roxana y Angélica entraron en la enfermería. Pilar, Quique y René, que se nos habían pegado, y yo nos quedamos afuera un poco sorprendidos. ¿Alfredo ayudando a las niñas...?

Después hablé con Angélica... bueno, no sé si se puede decir que escribirse mensajes en el cuaderno es hablar. Lo cierto es que aunque no es algo muy agrable para una maestra mientras explica los adverbios en la pizarra, escribirse en un cuaderno es genial, no solo divertido, sino que tienes un recuerdo que después podrás mirar con gusto. La conversación fue más o menos así, y la tengo en mi cuaderno de lengua para quien lo pueda dudar:

Oye, ¿qué pretende mi hermano?
¿Por qué?
Tú porque no lo conoces, pero jamás ha hecho algo por una niña. Nos odia.
Qué raro porque se ha portado muy bien.
¿Bien, Alfredo...?

Sí. He hablado un poco con él.

¿En serio? ¿Has podido hablar con él?

Tal vez le gusta Roxana y por eso la ha ayudado.

No creo.

Quedamos en ser amigos, ¿qué te parece?

Muy raro, amiga.

8

HABÍA llegado el sábado y ahora las Amazónicas y nosotros nos volveríamos a enfrentar para saber cuál era el club de exploración que tendría el derecho de seguir existiendo. Así como en las películas de vaqueros el *sheriff* le dice al peligroso bandolero, antes de batirse en duelo, que el pueblo es muy pequeño para los dos, así nosotros les íbamos a demostrar a ellas que debían dejarnos el camino libre.

La cita era a las cuatro de la tarde, junto a los columpios verdes del parque, pero las niñas se retrasaron.

—Si no llegan a tiempo, pierden –dijo Quique, que no perdía ninguna ocasión de ir contra las Amazónicas.

—Yo creo que hay que darles una oportunidad –dijo René, deseando apoyarlas, digo, apoyar a Angélica.

Le hicimos caso a René, porque nos pareció muy raro. Las niñas, si algo tienen, es que son muy puntuales. Y sí, yo también tenía ganas de ver a Angélica. Estuvimos un rato en los columpios del parque. Primero nos columpiamos, y luego enredamos las cadenas de los columpios haciendo girar el asiento del columpio para después soltarlo y así cuando las cadenas giraran en sentido contrario, se estrellarían los asientos entre sí; y finalmente, aburridos, nos quedamos sentados en el suelo. Entonces las vimos en la distancia. Venían solamente Susana y Roxana. La cosa no tenía buena pinta.

8

CLARO que no era nuestra intención fallar el reto de los niños. Pero al pasar por casa de Angie ese sábado a las once, nos topamos con una tremenda sorpresa. La señora nos abrió a mí y a Roxana. Estaba mal peinada y llevaba una bata roja muy arrugada. Tal vez si hubiéramos podido decir lo primero que se nos hubiera ocurrido, habríamos dado un grito y salido corriendo, pero a mí me salió no sé de dónde un:

—Buenos días, señora.

Y entonces los grandes ojos de la madre de Angie nos miraron como si fuéramos unas completas desconocidas, y después de unos segundos de observación dijo:

—¿Sí? ¿Qué se os ofrece?

Esas palabras sonaban a lo primero que dijo la Bruja a Hansel y Gretel cuando les abrió la puerta. Habríamos podido echar a correr, pero volví a contestar:

—Veníamos por Angie... Su hija.

—Claro. Vosotras sois...

Empezó a buscar nuestros nombres en su cabeza y entonces estuve a punto de decirle que yo era... No sabía si decir Susana o Noemí, pero ella se me adelantó:

—Noemí y Roxana.

Vaya, al parecer Roxana sí tenía cara de Roxana.

—Pues resulta que Angie no está aquí.

Yo era la única que podía hablar, porque al parecer a Roxana se le comían la lengua unos ratones invisibles cuando se trataba de hablar con la madre de Angie, desde que supo el significado de "voz atiplada".

—¿Y no tardará mucho?

Entonces la madre puso una cara tan dulce y tan tétrica al mismo tiempo, que su rostro me recordó el de las calaverita de azúcar que comemos aquí en México en la fiesta de Difuntos.

—Pues ¿no os lo dijo ella?

Como Roxana y yo no sabíamos a qué podía referirse la señora, por toda respuesta nos miramos entre nosotras, como buscando una contestación que desde luego no íbamos a encontrar escrita en la mejilla de la otra.

—Resulta que no nos gustó para nada esa escuela a la que vais y decidimos que lo mejor para su educación era el Internado para Señoritas del Liceo Inglés. Así que solo vendrá por aquí cada dos semanas. Y ha tenido que irse inmediatamente.

Y la señora aprovechó para soltarnos un discurso sobre la importancia de la buena educación y sobre la deficiencia en los programas de estudio de algunas escuelas mediocres. Yo la verdad no entendía qué estaba diciendo. Solo un pensamiento me cruzaba por la mente una y otra vez como si fuera uno de esos anuncios electrónicos que hay en los edificios: "¿Se ha ido?... ¿Se ha ido?".

115

Nos quedamos Roxana y yo como marionetas castigadas frente a la puerta, tan impávidas que la madre de Angie no tuvo el menor problema en meterse y cerrar la puerta. Ni siquiera sé si se despidió de nosotras, al menos de Noemí y Roxana.

Caminamos a la cita con los chicos. La repentina desaparición de Angie de nuestras vidas y el hecho de que Pilar no hubiera podido convencer a su padre de que la dejara venir con nosotras porque el señor de dos metros y más de cien kilos de peso había decidido que su niña debía acompañarlo al gimnasio, nos habían retrasado.

Vimos a los niños sentados al pie de los columpios, con sus bicicletas en el suelo junto a ellos.

—¿Se ha ido de verdad para siempre? ¿Y ahora qué, Susy?

—No sé, Roxi –le dije, mientras seguían sonando las palabras de la señora en mi cabeza: "¿No os lo dijo ella?".

Llegamos hasta los niños y les explicamos por qué Pilar no había podido venir y...

—¿Y Angie? –preguntó René.

—Se ha ido.

Entonces preguntó Alfredo:

—¿Y tardará mucho?

Roxana le respondió:

—Se ha cambiado a otra escuela. Para siempre.

Por un segundo noté que la noticia también fue devastadora para los niños. Hubo un silencio tan denso que sentí tocarlo con las yemas de mis dedos.

9

SERÍA muy mentiroso si no dijera que me dio tristeza saber que no volvería a ver a esa niña de ojos verdes y cabello rojo, y me dolió que ni siquiera hubiera dicho adiós. También sería una gran mentira si no dijera que por un momento me uní al enfado de gente como René y comencé a pensar en Angélica como en una niña creída, antipática e hipócrita, pero todo eso se me pasó cuando el lunes en la escuela vi que ella no llegó a ocupar otra vez su lugar, y empecé a oír en ese recreo y en los que siguieron cómo todos los niños, que antes se morían por ella y la creían la máxima maravilla del Universo, ahora decían precisamente cosas como que "qué bueno que se había ido" y "que era una creída, una creída y una antipática".

Y de cualquier modo pienso que todos ellos quizá podían decir todo eso porque no habían conocido a Angélica tanto como mi hermana y yo, pero nosotros solo podíamos pensar bien de ella.

El día que Angie y yo ayudamos a Roxana a subir las escaleras hasta la enfermería de la escuela y ella me dijo que fuéramos amigos junto con la confesión que me hizo acerca de su madre, se me juntaban ahora en la cabeza como muchas fotografías juntas y me hacían cortocircuito por dentro, confundiéndome todo. No, la Angélica que me miraba con esa simpatía, no era la Angélica que se había ido sin decirme siquiera: "Me ha gustado conocerte y... –¿por qué no?– escríbeme".

A René, Quique, Roxana y Pilar se les estaba olvidando el asunto, pero yo todavía no podía hacerme a la idea de que ya no veía a Angélica nunca más y la que desde luego no podía creerlo para nada era mi hermana. Se pasó el domingo, el lunes y el martes mirando a través de la ventana de la cocina hacia la casa de Angie, esperando verla salir en cualquier momento. Y si de pronto se abría la puerta de la casa vecina, Susana brincaba un poquito en su silla, para tan solo ver a la madre de Angie que barría las escaleras o sacaba la basura.

Fue la noche del jueves cuando vi a Susana mirando otra vez por la ventana. Yo estaba peleándome con los ríos de la República mexicana, un rotulador azul, un mapa comprado en la papelería y el atlas de mi padre, de donde los estaba copiando –por cierto, me estaban quedando horribles y a Susana le habían quedado..., bueno, mejor ni me acuerdo–, y sentí que debía hablar con mi hermana y dejar mi gran dibujo. No supe cómo empezar, así que le pregunté algo tontísimo:

—¿Qué miras?

Pero ella contestó algo peor:

—No sé.

Me senté de nuevo. Ella ni siquiera me había mirado.

—¿Por qué no le pides a su madre la dirección y le escribes?

Lo dije como buscando que también me pasara la dirección a mí. Entonces Susana dejó de mirar por la ventana y se dirigió a mí:

—¿En serio no te parece muy raro?

Estaba por decirle que no, pero me quedé callado. Yo también creía que algo raro había, pero no podía imaginarme qué.

—He estado pensando en la última vez que fui a su casa, cuando le presté mi libro de cuentos y todo lo que hablamos entonces.

—Bueno, no te preocupes. Encontrará la manera de devolvértelo.

Susana puso una cara muy seria, volvió a mirar por la ventana y me dijo:

—No creo que Angie esté en el internado ese.

—Hay que aceptarlo, Susana, aunque nos duela... Angie se ha ido. Su madre te lo dijo. También se lo dijo a mamá y a la mamá de Roxana.

—Hay otra cosa que podría ser cierta y que no hemos querido ver.

Me quedé pensando un momento y entendí lo que Susana quería dar a entender. Una electricidad extraña me recorrió el cuerpo por completo y se me instaló en la panza:

—¿Quieres decir que...?

9

ESPERABA que me dijera loca, tonta, ridícula, pero ya no podía más. Quería decírselo a alguien que hubiera conocido a Angie. Aunque ese alguien fuera el ser más desconsiderado, vago y antipático que haya conocido en mi vida: mi hermano. Pero no fue así; bueno, sí me dijo loca, pero nada más.

Todos estaban convencidos de que Angie se había ido a un internado, completamente feliz de haberse librado de sus nuevos amigos. ¡Qué fácil es pensar lo peor, siempre! Mi propio padre se lo dice muy a menudo a mi madre, cuando ella le pregunta: "¿Será que mi hermana no quiere verme o realmente es que tiene mucho trabajo?", "¿Será necesario cambiarle todas esas piezas al coche, o es que el mecánico me ha visto cara de boba?". Siempre le dice: "Tú piensa mal y acertarás". Es muy triste. Yo pensaba que al menos entre niños sí podíamos confiar. Pero al parecer, también entre niños hay que pensar mal. Eso era lo correcto: suponer que Angie nos despreciaba, pero a nadie se le pudo nunca ocurrir que...

—¿Quieres decir que...? ¿Estás loca, Susana?

—Angie está en su casa, Alfredo.

—¿Y por qué no la hemos visto entonces?

121

—Porque su mamá la tiene encerrada.

—¿Y por qué iba querer encerrarla?

—Yo creo que no lo ha hecho a propósito.

—¿Quieres decir que ha confundido a Angélica con una sábana y la ha metido en el armario?

—No seas tonto. Yo creo que su madre sí se dio cuenta de que la encerró, porque la castigó, pero después se le olvidó.

—Te estás imaginando cosas. ¿Cómo se le va a olvidar a una madre su propia hija?

—Se le olvidan las cosas. A mí me llama Noemí.

Entonces, para poder contarle sin que nadie nos escuchara todas mis sospechas, cerré la puerta de la cocina.

—Ya le pasó una vez. Angie me lo contó. Su mamá la olvidó durante varias horas en el sótano de la otra casa en la que vivían.

Alfredo se quedó pensativo, se puso de pie y se acercó a la ventana.

—Ahora que lo dices... A mí también me dijo que a su madre se le olvidan muchas cosas.

—Tú porque no has hablado con esa señora, pero tiene una enfermedad y a mí me parece que cada día está peor.

Los dos nos quedamos pensativos. Necesitaba a alguien que creyera lo que yo ya creía. Cuanto más lo pensaba, más segura estaba de que su madre debió de haberla regañado por algo, la encerró y después ya no supo qué hizo y creyó que su hija estaba en otro colegio. Yo me había puesto a mirar por la ventana todos esos días, no por tristeza, sino porque estaba segura de que tal vez pudiera ver algo para confirmar lo que creía. Pero ya habían pasado casi cinco días sin que pudiera ver algo. No podía esperar más, si Angie estaba encerrada y no tenía comida o agua, se encontraba en grave peligro.

Le expliqué esto a Alfredo, que se puso pálido. Entonces él tomó otra vez asiento y me dijo:

—¿Y qué podemos hacer?

Al fin. Teníamos que entrar a rescatarla. Pero Alfredo aún no estaba como se dice cien por cien convencido. Entonces me sugirió:

—Primero debemos estar seguros. Si la madre está diciendo la verdad, imagínate el lío en que nos meteríamos.

Nos pusimos a pensar. Entonces se me ocurrió:

—Ya sé qué podemos hacer. Llamemos al internado.

Lo malo de mi idea era que teníamos que esperar hasta el día siguiente. Eso significaba que Angie debía estar otro día encerrada.

Esa noche no pude dormir. Después de todo prefería que al día siguiente, cuando preguntara al teléfono por Angie, me pasaran a una niña que se burlara de mí, a que mi amiga estuviera muriéndose de frío en un sótano oscuro.

En el cuarto de mi hermano, cada cinco minutos rechinaban los resortes del colchón y la cama crujía al temblar sus patas. Alfredo tampoco podía dormir.

Soñé con los sapos, pero ahora no me atacaban a mí, sino a Angie, que me pedía llorando que se los quitara de encima. En el momento en que iba a acercarme, una puerta se cerraba y me impedía entrar a ayudarla, entonces yo gritaba: "¡Angie! ¡Angie!...".

—¡Angie! ¡Angie! —grité, y mi madre me despertó. Y juro que no lo hice a propósito, pero al sentarme en la cama, estaba bañada en sudor. Mi madre, preocupada, decidió dejarme que faltara a la escuela.

En realidad no estaba enferma, pero mi madre lo creyó por completo; al menos me habían pasado dos cosas que le dan a todos los que tienen fiebre: sudé y deliré.

Vi cómo Alfredo salía de su cuarto con los pelos tiesos y una cara de no haber podido dormir dos horas seguidas. Al ver que mi madre decidía no dejarme ir a la escuela, el muy tonto intentó copiarme:

—Yo también estoy enfermo. Me va a dar fiebre.

Pero como todas las madres, ella le tocó la frente con la palma de la mano y luego con la mejilla, y le dijo:

—Estás bien. Vístete, que se te hace tarde.

Mi madre me dio unas pastillas efervescentes y bajó a hacer el desayuno. Entonces Alfredo se acercó a mi cama.

—¡Qué suerte tienes!

—¿No te das cuenta? —le dije—. Podré averiguar lo del internado.

El rostro de Alfredo cambió.

—¿Sabes qué estuve pensando toda la noche? Si lo que dices resulta cierto, esta es una misión para los Exploradores de Orión.

—No digas tonterías, Alfredo. Si Angie está encerrada, no importan los clubes. Debemos unirnos para salvarla.

Alfredo se quedó pensativo, pero no dijo nada. Entonces, yo continué:

—Vosotros y las chicas deberíais ir pensando en un plan para poder entrar en casa de Angie, mientras yo averiguo lo del internado.

—Voy a contarles a todos lo que sospechamos —dijo. Se dirigió a la puerta y antes de salir añadió—: Después de clase, vendremos aquí.

En cuanto mi madre salió a acompañar a mi hermano y a mi padre con el coche, decidí hacer lo que debía: marqué el número de información y conseguí el del Internado para Señoritas del Liceo Inglés. Unos minutos después estaba marcando el teléfono que me había dado la señorita de información. Ya había memorizado lo que iba a decir, fingiría que era la hermana de Angie y le pediría a quien me contestara que la llamaran porque mi madre quería hablar con ella. Lo repetí las veces que pude: "Llamo de parte de mi madre, que es la señora Melgar, ¿me podría poner con mi hermana? Llamo de parte de mi madre, que es la señora Melgar, ¿me podría poner con mi hermana?". Por el teléfono empecé a escuchar el "pi" seguido después de unos segundos de otro "pi" y luego de otro, y empecé a sentir cómo mi corazón latía con más y más fuerza. "Llamodepartedemihermana que es la señoraMelgar, mepodría ponercon mi madre". Ya no sabía lo que decía y en cualquier momento escucharía del otro lado un:

—Liceo Inglés. Buenos días.

—Buenos días, señorita. Mire, llamo de parte de mi madre, que es la señora Melgar, ¿me podría poner con mi hermana? —dije, pero hubo un silencio como si me hubieran pillado la mentira a pesar de que no me lié y dije bien lo que había ensayado—: Es una emergencia —continué. Y más silencio, ¿qué había hecho mal?

—¿Quién es tu hermana?

Respiré un poco. Claro, cómo me la iban a pasar si no daba el nombre.

—Angélica... Angélica Melgar.

Del otro lado del teléfono se podía escuchar a la señorita tecleando en un ordenador —más bien creo que era una señora, porque tenía voz de bastante mayor, pero yo por cortesía le había dicho señorita porque no me constaba si estaba casada o que fuera madre.

—¿Estás segura que es Melgar?

Entonces supe lo que querían decir en algunas novelas de amor que había leído con aquello de "le dio un vuelco el corazón", porque en ese instante lo sentí tal cual.

—¿Qué pasa, señora? —adiós a la cortesía.

—No hay ninguna Angélica Melgar. Tuvimos a una niña con ese nombre, pero hace dos años... A ver, pásame a tu madre.

Colgué como una verdadera cobarde.

¡Yo tenía razón!

Pero el gusto de saber que no estaba tan loca me duró poco. Tenía que hacer algo. Cada minuto contaba. Angie ya llevaba encerrada el sábado, el domingo, el lunes, el martes, el miércoles y si no me daba prisa...

El ring ring del teléfono me hizo dar un grito. Estaba más que nerviosa. Era mi madre. Al regresar de la escuela, el coche se le había estropeado y tardaría un poco porque iban a ir los del taller a buscarlo; me pedía que no me preocupara, que me metiera en la cama y que no le abriera a nadie. Entonces miré por la ventana de la cocina. No podía esperar a que los demás vinieran. Debía aprovechar ese momento.

La primera vez que en la clase de natación me hicieron tirarme a lo hondo —dijeron que para que le perdiera el miedo al agua—, usé un truco: no pensé en lo que iba a hacer, caminé con la mente en blanco hacia la piscina y, sin más, me tiré. Ahora iba a hacer algo parecido para poder enfrentarme a la señora Melgar. Ni siquiera me dio tiempo a pensar cómo había ido todo, pero de pronto ya estaba vestida, enfrente de la casa de Angie y acababa de tocar al timbre. Pero no sabía qué iba a decirle a la señora. La puerta se abrió y apareció la madre de Angie con el cabello revuelto y una mala noche pintada en la cara:

—¿Quién?

Yo solo alcancé a decir:

—Llamo de parte de mi madre, que es la señora Melgar... —apenas pude evitar decir el resto de las palabras. Eso pasa cuando te aprendes algo de memoria.

La señora me miró y dijo:

—¿Mildred? ¿Eres tú, hermana?

Sin que yo pudiera decir nada, me abrazó y me acompañó al pasillo. Yo estaba muy asustada, ahora ya no era Noemí, sino Mildred. Por eso quizá me atreví a decirle:

—No. Soy... Noemí, ¿no se acuerda de mí?

—¿Noemí?

La decepción le pintó más las arrugas de la mañana y el pelo alborotado, que ahora se le veía mucho más canoso que antes. Entonces me soltó.

—Sí. Venía a ver si su hija no le había dejado un libro que le presté –fue lo único que se me ocurrió decir.

—¿Mi hija? Yo no tengo hijas...

En ese momento sí que sentí miedo. Me miró y continuó:

—Bueno, ¿vas a decirme qué quieres? Me urge irme a acostar. En toda la noche no he podido dormir por culpa de las cochinas ratas... Mira, si no tienes un buen matarratas o un gato, entonces deja de quitarme el tiempo.

Sin que yo pudiera rechistar, me vi empujada por la señora hacia afuera. No podía permitir que me echara, tenía que buscar a Angie. Pero mis peros no sirvieron de nada. Y justo antes de que me echara por completo, vi algo que me hizo estar por completo segura de todo. Había que entrar de nuevo en aquella casa.

10

Nos tocaba clase de deportes. Eso me permitiría hablar con Pilar, Roxana y mis amigos. No sé por qué, pero no debía esperar hasta el recreo. La maestra Juana es la maestra de deportes más rara del mundo, porque es una mujer supergorda, y no es que una mujer gorda no pueda hacer ejercicio, pero es extraño que alguien gordo le enseñe a otros a no estar gordo; bueno, pero nadie nunca se ha quejado porque esa es la mejor clase de todas y ella no es ni regañona ni histérica. Esta vez a la maestra Juana se le ocurrió que, antes de jugar al baloncesto, debíamos calentar tirándonos la pelota. Nos pidió organizarnos en grupos de cinco para hacer una rueda y tirarnos la pelota. ¿Podría tener mejor oportunidad? Me apresuré a decirle a Roxana y a Pilar que se nos unieran. Solo las pude convencer cuando mencioné que debía decirles algo sobre Susana y Angie. La maestra hizo sonar su silbato y comenzamos a tirarnos la pelota.

Todos estaban intrigados; debía apresurarme. Mientras la pelota iba de uno a otro, les conté lo que Susana sospechaba y que yo estaba de acuerdo con ella.

—¿Y qué podemos hacer nosotros? –preguntó Quique mientras me tiraba la pelota.

—¿No somos exploradores? –dije, mientras le tiraba la pelota a Pilar.

—Y exploradoras –dijo Pilar, y le tiró con tal fuerza la pelota a Quique que casi lo tumba.

—Sí –dije–, por eso debemos hacer un plan para entrar en casa de Angie y rescatarla.

—Una emboscada –dijo Quique.

—¿Por qué no se lo decimos a nuestras madres? –preguntó Roxana mientras tiraba la pelota.

—Porque no nos creerían. La madre de Angélica ya les dijo a todas las madres lo mismo –dije, deteniendo el viaje de la pelota y continué–: ¿Estáis de acuerdo todos en ayudar?

René preguntó entonces:

—¿Y cuándo lo haríamos?

—Hoy por la tarde. Después de las clases.

Todos asintieron con la cabeza, pero Roxana se quedó pensativa. Quique tuvo que averiguar qué le pasaba:

—¿Y tú no estás de acuerdo?

—Perdón, pero ¿no lleva ya cinco días encerrada Angie?

Nadie pareció entender qué quería decir, así que Quique intervino:

—De sábado a miércoles –y contó cómo con el miércoles se cumplían los cinco días.

—Entonces –dijo Roxana–, no podemos esperar hasta la tarde.

Todos estuvimos tentados a decir algo como: "No podemos ir ahora", pero nos dimos cuenta de lo que Roxana quería decir. ¿Y si Angie estaba en peligro? ¿Y si cada hora contaba? La vida de una amiga no podía dejarse para la hora de la salida, para el recreo o para cuando nos dieran permiso nuestros padres.

Seguimos tirándonos la pelota, y aunque hubo un poco de resistencia, sobre todo de Quique, que acabó recibiendo un pelotazo en la cabeza, cortesía de Pilar, todos acordamos fugarnos. Y no había mejor momento que la clase de deportes. Como en ese momento la maestra de gimnasia nos cuidaba, el portero siempre aprovechaba para irse a tomar un café; así que solo debíamos esperar un descuido de la maestra para salir. Nuestra clase de deportes duraba hasta la hora del recreo y luego había clase de arte. Al menos hasta las once de la mañana nadie se daría cuenta de que no estábamos, y si se daban cuenta, tal y como nos lo había hecho ver Roxana, una regañina, un cero en conducta o un castigo no importarían si podíamos hacer algo por Angélica.

No hubo problema; primero, René, muy sigiloso, subió las escaleras que llevaban a la puerta y la abrió sin hacer ruido. Entonces, en cuanto se comenzaron a organizar los equipos para jugar al baloncesto, todos los demás corrimos a la salida.

Ya estábamos fuera. Ahora solo teníamos que ir a por Susana.

Al dar la vuelta a la esquina, por poco me da un infarto. René gritó:

—¡Tu madre!

Apenas tuvimos tiempo para escondernos detrás

de un coche. Allí estaba mi madre junto a nuestro coche, con el maletero abierto. Estaba claro que se le había estropeado. Estaba furiosa y hablaba por el móvil. Pilar dijo:

—¡Tengo miedo! ¿Qué hacemos?

Quique respondió:

—Vamos a tener que rodear las líneas enemigas en flancos replegados.

No sé por qué, pero todos entendimos a qué se refería. Llegaríamos a la casa por otro lado.

Tardamos un poco más porque fuimos con mucho cuidado, no se podía saber si otra madre aparecería de la nada en cualquier momento. Había algo bueno en haber encontrado a mamá, eso significaba que Susana estaba sola y podíamos llegar sin problemas a casa.

En cuanto mi hermana nos abrió, no pudo evitar poner una cara de enorme sorpresa al vernos a todos con nuestros uniformes blancos. Roxana le dijo:

—Ya estamos aquí.

A Susana le hizo tanta ilusión vernos que no pudo contener la cursilería que a veces le brota a todas las niñas y abrazó a Roxana y a René.

Corrimos a dentro de la casa y nos fuimos a la cocina. Susana nos comentó que había llamado al internado y había averiguado que no existía ninguna Angélica en esa escuela. Pero eso no era todo, después aprovechó la ausencia de nuestra madre y cruzó a la casa de Angélica para preguntarle a su madre dónde estaba realmente su hija. Nos dijo que la señora estaba peor, que ahora no recordaba a su hija, y a la propia Susana la había confundido con su hermana, pero lo más importante fueron sus palabras de después:

—Poco antes de salir de la casa he podido ver cómo detrás de un sillón de la sala, apoyada en la pared, estaba la mochila de Angie.

Todos nos miramos. Había algo claro: Angélica estaba allí.

—¿No será mejor decírselo a nuestros papás o a la policía? –preguntó Pilar. Entonces tuve que responderle:

—Nunca nos creerían.

—Y menos ahora que nos hemos fugado del campo de concentración –claro, Quique se refería a la escuela.

Entonces Roxana dijo lo que estábamos pensando todos y cualquiera podría haber preguntado:

—Pero, y nosotros ¿qué podemos hacer?

Hicimos otro silencio y me oí decir, convencido:

—No sé, pero tenemos que hacerlo ya.

Susana añadió:

—Es cierto, mamá puede regresar en cualquier minuto, y si os ve aquí...

Discutimos un rato y, con ayuda de la pizarra de mi hermana, hicimos el plano de la casa de Angélica –que las niñas medio conocían–, y trazamos un plan muy bueno; nada podía fallar.

La parte A del plan se llamaba "la infiltración" (el nombre fue por sugerencia de Quique): se trataba de que alguien llamara a la puerta y con cualquier excusa pasara dentro de la casa. Ese tenía que ser el espía. La más adecuada para ese cometido era Susana, así que la propuse. Los miembros de los dos clubes votamos y quedaron cinco votos a favor y uno en contra (claro, el voto de Susana). Estábamos convencidos de que si la señora ya la había confundido una vez con su hermana, podía volver a hacerlo y eso había que aprovecharlo.

La parte B era "caballo de Troya" (este nombre era por sugerencia de Susana): una vez dentro, Susana debía pedirle algo a la señora, como un vaso con agua, para que la llevara a la cocina, y de allí al baño; entonces, sin que se diera cuenta la madre de Angélica, Susana abriría la puerta principal para que entraran en la casa Roxana, Pilar y René, que serían los agentes infiltrados.

La parte C era la más difícil, "la búsqueda". Todos tenían que ir al sótano, donde debía estar encerrada Angie, pero en silencio, mientras Susana distraía a la señora.

Del otro lado de la calle, en la casa, Quique y yo vigilaríamos todo por si había algún problema. Para eso usaríamos los *walkie-talkies* que el padre de Quique le había regalado en su cumpleaños. El grupo de los infiltrados tendría uno y Quique y yo, en "la base central" (como la llamó Quique), tendríamos el otro. Si todo salía bien, no importaba si la señora nos descubría. Lo importante era sacar a su hija del sótano.

10

AHORA sí que estaba nerviosa. Me iba a convertir en toda una agente del recontraespionaje. Cuando se trata de un juego, todos lo queremos ser, pero cuando se trata de la vida real, es muy diferente. Sin embargo, estaba contenta porque todos los niños habían decidido no dejar el rescate de Angie para después y habían hecho algo fabuloso: se fugaron de la escuela, todo por nuestra amiga. Debía apoyar el plan que entre todos habíamos acordado. No estaba muy de acuerdo en ser yo quien tenía que ir con la señora y distraerla, pero todos tenían razón: yo era a quien mejor conocía, o mejor dicho, a quien mejor desconocía.

La idea era que yo me metiera en la casa, distrajera a la señora y le abriera la puerta a un grupo que en silencio buscaría a Angie en el sótano.

Todos se prepararon con el equipo necesario. Roxana, Pilar y René llevaban unas linternas, una de las dos radios, una cantimplora y unas galletas. Alfredo y Quique tenían los prismáticos –que habíamos sacado del baúl de juguetes de mi padre–, y la otra radio.

Mientras Alfredo y Quique se situaban detrás de un arbusto del jardín de nuestra casa, para desde ahí vigilarlo todo, y las niñas y René se escondían en el jardín de Angélica, yo me dirigí a la puerta de la casa de mi amiga.

Antes de llamar, eché un vistazo hacia atrás. Todos parecían listos. A la distancia, vi cómo Alfredo y Quique me hacían ese gesto con el pulgar que significa dos cosas: "Suerte" y "Adelante, tú puedes".

Unos segundos después de llamar, la madre de Angie abrió. Esta vez no la dejé que se metiera en confusiones, la saludé muy efusiva, y me eché a sus brazos:

—Hermana, ¿cómo estás?

Ella me miró muy extrañada y, por un momento horrible, creí que por fin reconocería a Susana, la niña de enfrente, pero me dijo:

—¿Mildred?

Respondió a mi saludo abrazándome con fuerza y me hizo pasar.

Desde ese momento me convertí en una combinación de actriz de cine y policía. Quise fijarme en todo para encontrar una señal que me diera noticias de Angie, pero al recorrer el pasillo y mirar el comedor, la sala, el gran espejo y el tapiz maltratado, no vi nada. Solo la mochila detrás del sillón, me confirmaba que Angie no había sido un sueño.

Y mientras la señora me continuara hablando, yo fingiría ser su querida hermana:

—¿Quieres un té, Mildred?

—Claro... un té estaría bien, señor... digo, hermanita.

—¿Y cómo has estado, eh?

—Bien, hermanita.

Entonces me hizo pasar a la cocina y me sentó, mientras preparaba un té. Fue allí donde me di cuenta de otra señal de la presencia de Angie. Cada cosa de la cocina, tenía una tarjeta de color brillante, con letra de Angie, para indicar el nombre del objeto sobre el que estaba pegada. Todo estaba etiquetado, como si se tratara de que un niño pequeño aprendiera a leer: el tostador tenía una tarjeta azul que decía TOSTADOR DE PAN, la estufa tenía una etiqueta roja que decía ESTUFA. Nunca había pasado a la cocina y por eso no había visto todo eso antes.

La madre de Angie abrió uno de los armarios y sacó una tetera con una etiqueta verde en el que ponía TETERA.

Entonces la señora me pidió:

—¿Podrías traer el té de limón y el azúcar, querida?

Me levanté y abrí lo que supuse era la alacena, un pequeño armario igual al que teníamos en nuestra cocina. Al abrirlo, me quedé helada: todos los frascos, las cajas, todo, tenía una tarjetita escrita por Angie. No tuve que preguntar. Muy rápido encontré el TÉ DE LIMÓN y el AZÚCAR. Todo era muy raro. Pero ni loca le preguntaría a la señora por las tarjetas. Le llevé el té y el azúcar, mientras ella ya había puesto a calentar agua en la tetera. Me senté y entonces ella siguió hablando:

—Espero que mis padres no estén muy enojados.

—No. No creo que lo estén.

Acercó de un modo extraño su rostro al mío.

—Ya sé que fue muy tonto irme, pero mi madre me pegó sin razón. Tú lo viste.

La voz de la madre de Angie me sonó de pronto como la de una niña pequeña caprichosa. Otra vez me volvió a dar miedo. No podías tener un momento de tranquilidad con ella. Justo cuando te creías que ya le habías adivinado el juego, te lo volvía a cambiar, para asustarte de nuevo. Fue entonces cuando le dije, levantándome de la mesa como si de pronto un resorte en la silla se hubiera activado:

—Ahora vengo. Voy al baño.

Salí apresurada, mientras la señora sacaba unas TAZAS de un armario. El corazón me latía en la garganta. Me acerqué a la puerta del baño; la abrí y después la cerré. Entonces, a paso de pollito, me acerqué a la puerta principal y la abrí apenas lo suficiente como para que un hilo de aire entrara. Luego me fui de nuevo con la madre de Angie.

Del modo más natural que pude, al entrar a la cocina, cerré la puerta un poco. Y me senté a esperar mi té. La señora de pronto se había quedado mirando fijamente por la ventana que daba hacia el jardín trasero.

La misión rescate consiguió su objetivo, porque yo escuché bien claro cómo entraban los niños por la puerta. Tan claro oí sus pasos, que miré a la madre de Angie con tal cara de susto que de haberme visto se habría dado cuenta de que algo andaba mal. Pero ella no los oyó y siguió mirando al jardín. Entonces decidí hablar:

—¿Y no piensas regresar a la casa... hermanita?

La señora agitó la cabeza como si hubiera despertado de un sueño. Me miró otra vez de un modo raro y me preguntó:

—¿Y tú qué haces aquí?

Acababa de poner una terrible cara de confusión, cuando ocurrió lo que me temía: alguno de los niños se había tropezado. Eso sí lo oyó la señora y se dirigió rápido a la puerta. Yo no sabía qué hacer. Entonces le agarré de la bata y le dije:

—¿Y mi té?

—¿De qué hablas? ¡Suéltame!

Solo la pude detener un instante. Entonces vi cómo, para mi sorpresa, no salía de la cocina, sino que levantaba el auricular del teléfono colgado de la pared. Buscó en las tarjetas pegadas con tachuelas de colores en la pared, tomó una y marcó un número. Escuché lo que decía:

—¿Exterminadores Guzmán?... ¿Cuándo van a venir por fin?... No es posible, señor... los llamé hace dos días... claro que me urge. Parece que los ratones ya están en la sala... Primero no me dejan dormir y ahora se pasean por toda mi casa...

Entonces me fijé en el tono de su voz: la señora otra vez sonaba como la madre de Angie. Eso me dio miedo, pero me alivió saber que había confundido a mis amigos con unos ratones escurridizos. Entonces miré cómo el picaporte de la puerta de la cocina giraba con cuidado. Me horroricé, pero lo único que se me ocurrió fue quedarme inmóvil. La puerta se abrió lo suficiente como para ver a Roxana, que me hacía señas extrañas. No podía entender qué quería. Entonces me señaló hacia un punto al otro lado de la cocina.

Sentí que me desmayaba. La puerta que daba al sótano no estaba a un lado de la escalera como en mi casa, sino en la parte trasera de la cocina, igual que en la casa de Roxana. Tenía que ser yo quien rescatara a Angie.

Me acerqué a la puerta con sigilo mientras la madre de mi amiga seguía peleándose con el exterminador o quien fuera:

—Los voy a denunciar, eso haré.

Poco a poco el picaporte me quedaba más y más cerca. Lo tomé con la mano y giré la manivela. Abrí la puerta, pero nada. Estaba oscuro y no podía ver nada. No me animé a llamar a Angie desde allí, así que decidí bajar. Con pasos pequeños me fui internando. Bajé unos diez escalones, saqué la linterna de bolsillo que llevaba y la encendí.

—¡Angie! ¡Angie! –susurré, pero como respuesta solo obtuve un ¡slam! La puerta del sótano se había cerrado. Ahora sí que la habíamos hecho buena.

11

NADA podía fallar. Quique y yo ocultos en el jardín de la casa vimos cómo la madre de Angélica abrazaba a Susana y la hacía pasar. Ahora solo esperaríamos a que mi hermana abriera la puerta. Quique le dio las instrucciones a "los infiltrados" por el *walkie-talkie*:

—Comando, acercaos hasta la puerta. Cambio.

Al otro lado, Roxana, que tenía el otro aparato, respondió:

—Está bien.

—Comando, tienes que decir cambio o cambio y fuera. Cambio.

—¿Por qué? No seas ridículo.

—Porque si no, no sé si ya has acabado de hablar o todavía vas a decir algo. Cambio.

—Está bien... ya no tengo nada que decir. Cambio... y fuera.

René, Roxana y Pilar se colocaron justo frente a la puerta de la casa de Angélica. Todos en cuclillas. Tenían un aspecto tan sospechoso... Era una suerte que fuera una hora en la que no había nadie en la calle, porque si no...

Esperamos, y por un momento creímos que Susana no lo iba a lograr.

—¿Qué pasa, no hay novedad? Cambio.

—La novedad va a ser que nos van a descubrir si sigues hablando... Cambio y fuerísima.

En ese momento vi por los prismáticos la puerta entreabierta y cómo los tres infiltrados daban un pequeño brinco de susto. Entonces René se incorporó y con mucho cuidado entró, con las niñas detrás de él.

Quique y yo chocamos las palmas.

—¡Ya estamos dentro!

No había acabado de decir esto, cuando surgió ese primer problema que de algún modo sabíamos podía ocurrir.

—¡Diablos y más diablos! ¡Viene mamá!

El coche pasó frente a la casa, pero al no haber sitio para aparcar, mi madre buscó un poco más adelante. Los dos nos escondimos aún más en los arbustos. Quique dijo:

—Ya está. En cuanto no vea a tu hermana...

Era cierto, no había salida. En cuanto mi madre aparcara el coche, entrara en la casa y no viera a Susana... La misión habría llegado a su fin... a menos que...

—Quique, tú quédate aquí y sigue vigilando. Ya sé cómo detener a mi madre –le dije decidido–. No vayas a dejar que te vea.

Entonces, casi arrastrándome, me dirigí a la puerta de la casa y entré, mientras mi madre bajaba del coche.

Subí hasta el cuarto de Susana. Oí cómo mamá entraba en casa y comenzaba a subir las escaleras.

—¡Susy! ¡Ya he llegado, hija!

De un salto me metí en la cama de Susana, me cubrí con las mantas hasta taparme por completo, hasta la cabeza. Por segunda vez me estaba haciendo pasar por Susana. ¡Diablos! Escuché cómo entraba mi madre en el cuarto. Ahora debía actuar poniendo los cinco sentidos.

—No vas a creerlo, hija, pero el mecánico no ha aparecido. He tenido que ponerlo en marcha yo sola. Es increíble –dijo. Y yo recordé que mi madre entre tantos cursos había hecho uno de mecánica–. ¿Y tú? ¿Cómo estás? ¿No tienes fiebre? Déjame ver.

Me revolví en las sábanas como si estuviera amodorrado; más bien, como si Susana estuviera amodorrada. Escuché que mi madre se acercaba, quizá dispuesta a tocarme. Y yo hice como que no quería que se me acercara. Solo se me ocurrió gruñir...

—Mmjjjj mjjjjj mjj mj mjjjj mmjj (o sea: ¡Por favor, no te acerques mamá!).

Ella se retiró.

—Es cierto. Estoy muy sucia. Voy a ducharme y en cuanto salga vamos al médico.

—Mmmj mjjjjj (o sea: ¡Vete de una vez, mamá!).

—¿No puedes hablar? ¿También te duele la garganta?

—Mjj (o sea: Sí, pero vete).

—No tardo mucho. Enseguida vamos al doctor Fuentes.

Todavía me quedé un ratito así, hasta que escuché que mi madre entraba en el baño y abría el grifo de la ducha. Me destapé. Estaba sudando. Por poco nos descubrían. Había que decir a los demás que se dieran prisa.

Fui al arbusto donde todavía estaba Quique y le dije:

—La he engañado, pero no hay mucho tiempo. ¡Daos prisa!

Quique me respondió:

—Tenemos un problemón.

Guardó un silencio de película de terror y me dijo:

—La entrada al sótano está en la cocina, así que Susana ha tenido que entrar, pero parece que la señora la ha encerrado sin querer.

—Bueno, no importa quién haya entrado. Lo importante es que mi hermana puede sacar a Angie.

—Eso es lo raro. Pilar cree que Angie no está allí. Susana ya se habría delatado, o tal vez le ha pasado algo.

Era cierto, Susana por alguna razón no había querido ser descubierta.

—¿Dónde están los demás?

—Se han escondido en el cuarto de Angie. Al parecer la señora se dio cuenta de que había entrado alguien.

Y de pronto sonó el *walkie-talkie*.

—¿Central? Cambio –dijo René.

—¿Qué queréis? Cambio.

—¿Veis a la señora? Cambio.

Enfoqué los prismáticos y pude ver que, con un palo de escoba, removía las cortinas de la sala.

—Diles que está buscando algo en la sala. Que no hagan ruido.

—Está buscando algo en la sala. No hagáis ruido. Cambio.

Entonces, intrigado, le dije a Quique:

—Pregúntales qué está buscando.

—Comando especial, ¿sabéis qué busca la señora? Cambio.

—Hemos oído que llamaba a una empresa de exterminación. Creo que hay ratas en la casa. La agente Pilar quiere salir corriendo.

Entonces Pilar le arrebató el *walkie-talkie* a René:

—Voy a salir corriendo. A mí no me va a morder una rata con rabia.

Le quité a Quique nuestro *walkie-talkie*.

—Mira, Pilar, si te mueves de ahí, vas a hacer que no solo Angie, sino Susana también, se queden encerradas para siempre. Contrólate –le dije. Y le iba a devolver el aparato a Quique, pero por su mirada supe que había olvidado algo–: Cambio y fuera –terminé, y le di el aparato.

Todos estábamos intrigados. Quique me preguntó:

—¿Qué hacemos?

—Después de todo Susana se ha equivocado. Ahora el problema es sacarlos de allí. Hay que decirles que aguanten un poco.

Y justo cuando estaba a punto de hablar con ellos, René volvió a comunicar con nosotros:

—Central. Es muy extraño. Pero dice Roxana que en el cuarto de Angie todo sigue como siempre, tal como estaba. Cambio.

Había que creer a Roxana. Ella era la única persona capaz de decirte si te habías cortado el pelo un centímetro o si llevabas más de un mes sin usar tu camiseta azul. Si Roxana decía que el armario de Angélica tenía la misma ropa, seguro que no le faltaba ni un estante. Tal vez Angie sequía allí.

Escuchamos por el aparato unos golpes muy fuertes sobre la pared.

—Os hemos dicho que no hicierais ruido. Cambio.

Miré por los prismáticos. La madre de Angie había oído también el ruido y se encaminaba a las escaleras.

—Nosotros no hemos sido. Son las ratas que están en el techo. Cambio.

Mientras miraba por los prismáticos, Quique les dijo:

—Escondeos donde podáis, la señora va para allá. Cambio y fuera.

Entonces se me ocurrió hacer algo. Me acordé de cómo acababa de suplantar a Susana y de lo que mi madre me había dicho en la *boutique*: "Estás igualito a tu hermana".

No había otra posibilidad. Corrí hacia mi casa. Entré en el cuarto de Susana, me desvestí, me quedé solo en pantalón de deportes, me puse el primer vestido que encontré... sí, uno de florecitas, me puse unos de sus zapatos y me miré en el espejo. ¡Diablos y más diablos! Sí me parecía a Susana. Solo necesitaba su cabello largo. Tomé una capucha rosa que estaba sobre la cabeza de la Bongolé. No me importó si la estúpida muñeca me gruñía; era una emergencia. Corrí escaleras abajo y justo cuando iba a la mitad, una voz que venía desde la puerta del baño me detuvo:

—Susana, ¿adónde vas?

Sin volver la cabeza volví a gruñirle a mi madre:

—Mjjjjjj (o sea: ¡Diablos!).

—Espérame abajo. Ahora vamos al doctor.

Rápido salí por la puerta principal. Quique se quedó alucinado al verme:

—¿Alfredo?

—Sí. Voy a rescatarlos. No hay otra posibilidad.

Entonces Quique me dijo, antes de dejarme ir:

—He oído los ruidos de las ratas por el *walkie-talkie*... No son ratas... el sonido es tantantan... tan... tan... tan... tantantan.

Puse cara de interrogación, y él continuó:

—Es clave Morse. Un SOS. Angie debe de estar en algún lugar por encima de ellos.

—¡Claro! Por eso esa casa parece más alta. Seguro que tiene un desván. Allí debe de estar Angie –le dije a Quique. Y mientras atravesaba la calle, le grité–: Si tienes manera, díselo. Yo voy a distraer a la señora.

Por suerte la puerta seguía abierta. Busqué las escaleras del piso superior. Subí y busqué a la señora. Escuché los ruidos que venían, al parecer, del techo. Quique tenía razón. Eran unos golpes que no parecían de ratones. Pero eran muy débiles. Entonces entré en un cuarto. Era el cuarto de Angie. Cualquiera que tenga una hermana, podría averiguarlo sin problemas. Allí estaba la señora, con una escoba en la mano y dispuesta a abrir la puerta del armario. Con la voz más dulce y aguda que pude, logré detenerla:

—Señora. Aquí estoy.

Ella me miró extrañada. Me sentí como cuando te enfrentas al malo de un videojuego, a punto de ser comido o derrotado.

—¿Noemí?... ¿Qué haces? Angie ya no está aquí.

—Sí. Pero quería preguntarle su...

Me interrumpió:

—¿Qué le pasa a tu voz? ¿Estás enferma?

Decidí contestarle con la cabeza que no.

—Entonces, ya que estás aquí, hazme un favor. Asómate dentro de este armario. Creo que he oído un ruido.

La obedecí. Ella se apartó con la escoba en alto, lista para recibir a un ejército de ratones. En cuanto miré dentro, me encontré con la mirada de los tres "infiltrados", que estaban replegados contra la ropa. Por un milagro, ni ellos ni yo gritamos. Entonces se me ocurrió. Cerré la puerta fingiendo haber tenido una visión horrible.

—Sí. Hay tres ratas enormes ahí.

—¿En serio?

—¿No tiene veneno o una ratonera?

La señora, bajando la escoba, me dijo:

—En el sótano. Ya sé, yo voy por él. Tú vigila que no se vayan a escapar.

Me dio la escoba y me dejó en el cuarto, mientras bajaba las escaleras. ¡Diablos! Iba a descubrir a Susana.

Les abrí la puerta a René, Roxana y Pilar. Esta casi me da una bofetada.

—¿Cómo que tres ratas? –dijo, pero se arrepintió–. Perdón, Susy.

—¿Susana? –dijeron los otros dos.

—No, tontos. Soy Alfredo –les dije y me quité la capucha, para que me reconocieran. (Y yo que creía que mi hermana y yo no nos parecíamos.)

—¿Alfredo? –dijeron los tres.

—Luego os lo explico. Ahora buscad la entrada al desván.

—¿Desván? ¿Cuál desván?

—No son ratas. Es Angie, que debe estar en un desván. Voy por Susana.

Bajé las escaleras tan rápido como pude, pero era difícil alcanzar a la señora con esos zapatos. Cuando por fin lo logré, ya había abierto la puerta del sótano.

Entonces pegó un grito tremendo.

11

ESTABA a punto de llegar al final de las escaleras, cuando ¡zas!, me caí. Rodé uno, dos, tres escalones. Tuve que poner el brazo para no darme en la cara. Me quise poner de pie, pero me dolió tanto que casi me hizo gritar, pero me contuve, sin poder detener las lágrimas. Me puse de pie como pude. Intenté no mover el brazo y descubrí que apretándolo contra mí con el otro brazo, ya no me dolía. Entonces decidí recorrer el sótano. Si Angie estaba allí, debía de estar desmayada o dormida, porque yo no había oído ni un solo ruido todavía. Recorrí el sótano y exploré con mi linterna cada rincón. Ahora podía asegurarlo: Angie no estaba allí.

¿Sería posible que me hubiera equivocado? Tal vez Angie sí se había ido al internado y todo lo que pasó es que había olvidado su mochila. Me dieron más ganas de llorar. Me sentí tan tonta. Para colmo, recordé que la madre de Angie había dicho que había ratas en la casa. Iluminé el suelo. No vi nada. Poco a poco, cuidando de no mover mucho el brazo, comencé a subir los escalones, asegurándome de no ser seguida por ningún ratón o lo que fuera. Entonces me di cuenta. En ninguna de las casas de la colonia había habido ratas jamás, y la señora había dicho que los ratones no la habían dejado dormir, eso quería decir que los había oído en el piso de arriba. Eso era. Angie estaba encerrada en un cuarto o un armario del piso superior. Ella intentaba comunicarse con alguien y su madre creía que eran ratones. Debía apresurarme a salir de allí. Llegué a la puerta. Estaba cerrada. Ya no me importaba que me descubrieran, pero no podía dar golpes a la puerta. Lo intenté con el brazo sano, pero en cuanto la golpeaba, aunque fuera un poco, me dolía el otro brazo. Por un momento me sentí atrapada. Pero entonces oí unos pasos aproximándose. Era la madre de Angie que me buscaba. Me limpié el rostro lo mejor que pude y esperé con una sonrisa a que me abriera.

—Qué bien que ha venido —dije.

La señora soltó un grito de espanto que por poco me vuelvo a caer.

—Noemí, ¿cómo has llegado hasta aquí?

—¿Perdón?

—Te he dejado allá arriba vigilando las ratas.

La señora ahora no solo me confundía sino que me veía en otros sitios. Pero en ese mimsmo momento descubrí que alguien entraba en la cocina. Era... ¡Yo! Llevaba mi vestido de flores y la capucha de mi muñeca. ¿Me habría contagiado la señora?

Debí de poner una cara de tal sorpresa que la madre de Angie se volvió y vio también a mi otro yo. Entonces gritó otra vez.

—¡Son dos! ¿Es que sois gemelas?

Entonces lo reconocí. Era Alfredo con un vestido mío. No podía creerlo. (Y yo que creía que no nos parecíamos.)

151

La señora se puso pálida y se sentó. Entonces Alfredo me miró y decidió quitarse la capucha para desenmascararse.

—Soy Alfredo, señora... El hermano de Susa... de Noemí.

—¿Y por qué vas vestido así? ¿Y qué haces aquí?

—Es muy largo de explicar, pero hemos venido a rescatar a su hija.

—¿Mi hija?

—Sabemos que está encerrada en el desván.

¡Bravo! Los demás habían llegado a la misma conclusión que yo.

—¿Mi hija encerrada en el desván?

Entonces yo intervine:

—Sabemos que no lo hizo a propósito, pero ella está allí.

—Sí. Las ratas que oye son su hija.

Esto sonó un poco raro, quizá por eso la señora nos miró con desconfianza, y molesta se puso de pie:

—Basta. Voy a llamar a vuestra madre.

—No, señora. Se lo rogamos, primero tiene que ir a revisar el desván.

Miró el teléfono y se acercó a él, cuando de repente se abrió la puerta principal y entró ¡mi madre! ¿Tenía poderes telepáticos la señora? Detrás de mi madre venía –claro– Quique, que no dejaba de disculparse:

—Juro que me ha torturado.

La madre de Angie nos dijo:

—Ya os he dicho que la llamaría.

Mi madre, furiosa, se fue hacia Alfredo, que por reflejo intentó escapar de ella.

—Muy bien, Susana, ¿qué haces aquí? –dijo, y lo tomó del vestido. Y al darse cuenta de que era él, no pudo evitar decir, asustada, mientras se llevaba las manos al rostro–: ¡Alfredo! Pero ¿qué haces vestido así?

Entonces creí que debía hablar.

—Mamá, tenemos que sacar a Angie del desván –dijo.

—¿Susana? ¿Qué haces aquí?

La señora Melgar se puso histérica y empezó a reclamarle a mi madre:

—Sus hijos se han metido en mi casa para burlarse de mí. Eso está perfectamente claro.

—No se preocupe, señora. Yo me encargaré de que reciban su castigo.

Tomó a Alfredo del brazo y lo intentó sacar de allí, pero mi hermano se resistía.

—¡Mamá, tenemos que rescatar a Angélica!

Y la señora Melgar seguía:

—¿Ve lo que le digo? Se están burlando. Dicen que tengo encerrada a mi hija.

Yo insistí:

—Es cierto, mamá.

Pero mi madre, bastante avergonzada a causa de nosotros, se me acercó:

—Ya he tenido suficiente, Susana –dijo, y me cogió del brazo malo. Yo entonces di un grito–. Pero ¿qué te pasa?

Me soltó asustada.

—Me he caído.

Mi madre ya no sabía qué hacer. Le habíamos contado algo rarísimo y, encima, Alfredo iba vestido como yo y yo lloraba porque tenía un brazo dañado.

Entonces la escena fue interrumpida por Roxana, que apareció de pronto diciendo:

—¡He encontrado el desván!

La sorpresa hizo que mi madre soltara a Alfredo, que siguió a Roxana.

—Alfredo, ¿adónde vas?

Todos salieron tras Alfredo y Roxana. Yo iba la última, pero pude ver cómo René y Pilar habían colocado una cómoda justo al final del pasillo. Arriba, en el techo, se podía ver una especie de puerta. René se subió a la cómoda, dispuesto a abrirla, cuando mi mamá, supermolesta, lo obligó a bajar de ahí.

—Esto es increíble. Pero ¿qué hacéis, niños?

Todos comenzamos a hablar al mismo tiempo, pronunciando palabras como: "Angie", "Atrapada", "Las ratas" "No hay tiempo", que, todas sueltas, debieron de sonar muy extrañas.

Mamá dijo que en la escuela estaban muy preocupados porque habíamos desaparecido, y que si no queríamos meternos en más líos, teníamos que obedecerla y salir de allí.

Todos nos quedamos sin saber qué hacer. La señora todavía vociferó:

—¡Es increíble! ¡Toda una pandilla aprovechándose de una mujer sola!

Entonces mi madre, para agarrar bien a Pilar, soltó un poco a René, y este aprovechó para zafarse por completo. Tomó el *walkie-talkie* y lo lanzó justo donde estaba la cerradura de la puerta del techo. El aparato voló como en las películas de misterio, lentamente, hasta dar con el seguro. Este saltó y la puerta cayó. Nos quedamos paralizados. Mi madre dijo:

—¡Esto es el colmo!

Pero entonces se oyó un ruido que venía del interior. La señora dijo:

—Ahí están las ratas.

Del agujero cayó un libro: mi libro de cuentos. Y para sorpresa de todos, un brazo se descolgó del techo. Era el brazo de Angie.

12

¡QUÉ cosa tan increíble! Habíamos rescatado a Angie, a pesar de tanta complicación. Porque no todo se quedó en que yo me vistiera de Susana. Todavía cuando bajé a rescatar a mi hermana, la señora Melgar pensó que se había vuelto loca al encontrarse de pronto con mi hermana y con su doble. Y para colmo, en ese momento entró mi madre. ¿Cómo había logrado encontrarnos? Quique me contó después que en cuanto crucé la calle con el vestido de mi hermana, vio cómo mi madre se asomaba por la ventana asustadísima. En ese mismo momento Quique supo que mi madre saldría para, como ella dice, "traerme a rastras", convencida de que su hija se había vuelto loca y había salido a buscar a su amiga Angélica.

Mi amigo no sabía qué hacer, pero se decidió al fin por detener a mi madre. Se fingió enfermo y entró en mi casa. Mi madre se llevó un susto tremendo.

—Quique, ¿qué haces aquí? ¿No debías estar en la escuela?

—Me han dejado salir porque me encontraba mal. Y como no hay nadie en mi casa, les he dicho que vendría aquí. No le importa, ¿verdad?

—No, claro que no. Pero tendrás que quedarte solo un rato. Voy por Susana, que está enfrente, para después llevarla al doctor.

Entonces Quique fingió un fuerte dolor de tripa. A mi mamá no le quedó otra que ayudarlo a sentarse en el sofá de la sala. En eso estaban cuando sonó el teléfono. Era de la escuela. Habían descubierto nuestra fuga. Mi madre entonces se dio cuenta de que algo tramábamos todos. Se acercó a Quique y le preguntó dónde estábamos los demás, y él, como buen soldado capturado, fingió locura:

—¿Qué?

—Sí, Quique. Dicen que Alfredo, Roxana, Pilar, René y tú os habéis fugado de la escuela, ¿dónde están todos?

—¿Qué? No sé nada. Yo me siento muy mal –dijo. Y tal vez ya empezaba a dolerle de verdad el estómago.

Mi madre, tramposa como todas las madres, sacó el arma máxima de tortura: el bicarbonato.

—Yo sé cómo quitarte ese dolor de estómago rápidamente... –dijo mientras echaba una cucharada en un vaso de agua–. A ver, abre la boca.

Quique se tomó un sorbo que pasó por su garganta después de un esfuerzo terrible. Pero al segundo sorbo, claudicó.

—¡No! ¡Confesaré! ¡Lo juro, confesaré!

Y le dijo que todos estábamos en la casa de Angie en "misión secreta de rescate". Mi madre solo comentó:

—¿Otra misión? Ya estoy harta de estos clubes de exploradores.

De inmediato salió por la puerta, seguida de un Quique al que ahora sí le dolía el estómago por haberse tomado el dichoso bicarbonato.

Cuando las cosas se estaban poniendo mal para Susana y para mí, apareció Roxana para decirnos que había encontrado el desván. Me escapé de mi madre, que me tenía agarrado del brazo, y subí siguiendo a Roxana.

Más tarde, René me contó que mientras ellos buscaban el desván, la observadora de Roxana había encontrado, al examinar el techo, una pequeña puerta al final del pasillo. La puerta tenía un seguro que se cerraba desde fuera. Pero como estaba muy alto era necesario acercar una cómoda y subirse a ella. Pilar empujó, con un poco de ayuda por parte de René, una cómoda de madera con cajones y todo. Y a pesar de lo pesado que era el mueble, Pilar había logrado llevar la cómoda, sin hacer ruido, hasta justo debajo de la puerta del desván.

René, por ser el más alto de todos, subió encima del mueble y estaba a punto de abrir la puerta cuando llegamos Roxana y yo, pero mi madre, que salió de la nada, lo quitó de allí. Yo no lo podía creer: mi propia madre obstaculizaba la misión de rescate. Ni siquiera importaron los gritos de todos. Sin embargo, gracias a un descuido de mi madre, René cogió el *walkie-talkie*, y haciendo su clásico movimiento de lanzamiento, lo tiró justo sobre el pasador que cerraba la puerta. El pasador cedió y la puerta se abrió. Todos esperábamos que nuestra amiga apareciera, pero primero cayó un libro y después por el agujero se asomó colgando el brazo de Angélica.

Mi madre soltó de inmediato a Pilar y a René.

—¡Dios mío! –exclamó, y se dirigió hasta la entrada del desván. Todos quisimos hacer lo mismo. Mi madre subió al mueble y se asomó por el hueco.

—¡Oh! ¡Dios mío! –repitió.

Vimos cómo sacaba a Angélica por la abertura, igual que una muñeca de trapo. Los brazos y las piernas le colgaban sin vida. La señora Melgar no se acercó hasta ese momento. Y como si de pronto hubiera reconocido a su hija, comenzó a llorar:

—Angie. Mi ángel... Hija...

Entonces mi madre me gritó:

—¡Alfredo, llama a una ambulancia!

Corrí hacia abajo justo cuando la madre de Angie recibía a su hija en sus brazos.

Pedía la ambulancia desde el teléfono de la cocina. Mi madre había hecho que Susana y yo nos aprendiéramos los teléfonos de la policía y de la Cruz Roja para marcarlos en caso de emergencia.

Subí de nuevo y vi cómo todos los niños estaban frente a la puerta del cuarto de Angie. Roxana, Pilar y Susana permanecían mudas. La señora estaba llorando y quería abrazar a su hija, que se encontraba en la cama, pero mi madre le dijo que mejor le dejara espacio.

Mi madre salió a decirnos:

—Parece que ha pasado lo peor, niños.

Todos la abrazamos. Qué hubiéramos hecho si ella no hubiera llegado a regañarnos, qué hubiéramos hecho si ella no hubiera sabido qué hacer en esos casos y si no hubiera tomado ese curso de primeros auxilios.

Nos quedamos fuera del cuarto muy preocupados. ¿Por qué Angélica no se despertaba? El movimiento de su pecho indicaba que estaba respirando, pero aún tenía ese color superblanco en la piel.

Pilar preguntó:

—Señora, ¿está dormida?

Mi madre trató de quitarle importancia. Pero Susana y yo pudimos ver la preocupación reflejada en todo su rostro, pues si hay alguien a quien conozcamos mejor que a nosotros mismos es a nuestra madre.

—Sí, Pilar. Solo está dormida.

12

CUANDO mi madre sacó a Angie del desván me quise desmayar. Ella era blanca, pero no tanto. Estaba blanquísima y totalmente inconsciente. Mi madre se la pasó a la señora Melgar, quien parecía haber despertado de un largo sueño. Acababa de reconocer a su hija. Mi madre bajó del mueble y le tomó el pulso a Angie. Todos nos quedamos mudos mientras Alfredo llamaba a una ambulancia. Sin decir nada, mamá tomó a la niña y la llevó a la cama mientras nos pedía:

—Niños, quedaos fuera.

Impresionados vimos cómo la colocaba sobre la cama. No nos atrevimos a emitir ni un sonido. Mi madre tomó una manta y la cubrió.

Quien entonces empezó a llorar con todas sus fuerzas fue la madre de Angie. Mi madre salió y nos dijo que no nos preocupáramos. Entonces me preguntó:

—¿Qué te ha pasado en el brazo?

—Nada, mamá.

—¿Cómo nada?

Se acercó y me tocó el brazo. Yo no pude contener un fuerte "¡Ay!".

—Bueno, parece que la ambulancia se va a llevar a dos enfermas –me dijo.

Quise entonces acercarme a Angie y decirle que íbamos a ir juntas al hospital, pero me di cuenta de que su aspecto no había cambiado. Su pecho se inflaba y desinflaba, pero era lo único que indicaba que estaba viva.

Unos minutos después llegó la ambulancia y en ella nos fuimos mi madre, la señora Melgar, mi amiga y yo. A ella y a mí nos habían bajado en camilla. Yo no dejaba de mirarla. ¿Por qué no se despertaba?

En la ambulancia me fijé en todo, pero no entendía nada. Le inyectaron unas medicinas y luego la conectaron a unas mangueras transparentes. Decían solo algunas palabras que me sonaban a malas noticias, más por el tono que empleaban para decirlas pues no entendía qué significaban "pulso débil", "tantas unidades de no sé qué", "una intravenosa". Mientras, a mí me habían inmovilizado el brazo con vendas. Yo no dejaba de preguntar, pero mi madre me dijo que los doctores tenían que trabajar y no debíamos molestarlos. La sirena de la ambulancia empezó a sonar y me asusté. Yo no estaba tan grave, así que Angie debía estar mal si habían tenido que encender la alarma.

La camilla de Angie fue la que bajaron primero, y pasó lo que me temí: no la volví a ver hasta mucho tiempo después.

13

Gracias a la madre de Roxana pudimos ir todos los demás al hospital. Creíamos que nos darían noticias pronto, pero no. Empezaron a llegar a la sala de espera las madres de todos, algunos maestros de la escuela y la directora que, claro, se habían enterado de todo. Mi madre no apareció hasta una hora después. Y por la conversación que tuvo con la madre de Roxana, pude enterarme de algunas cosas. Me acerqué sin que se dieran cuenta y me puse de espaldas a ellas.

—Mal.

—¿Qué tiene?

—Está en coma...

—Pero ¿cómo es posible?

—Según he sabido, la niña llevaba encerrada cinco días en el desván de la casa.

—Pero ¿cómo es posible?

—Los niños creen que la señora la castigó y la encerró en el desván y luego se le olvidó lo que hizo... He estado con el psicólogo del hospital que ha atendido a la señora Melgar por la crisis nerviosa. Al parecer ella tiene un Alzheimer prematuro, un poco raro para su edad. Tenía etiquetas en toda la casa para identificar las cosas.

—Claro. Ella nos dijo que la había mandado a un internado. Pero lo más probable es que ni siquiera se acordara de dónde estaba su hija.

—La niña le daba medicinas y, al faltar ella, su condición se agravó.

—Bueno. Ahora lo que haría falta es contactar con algún familiar.

—Sí. Sería lo mejor.

Entonces mi madre se dio cuenta de mi intento nada discreto de espía.

—¿Qué haces aquí, Alfredo? Vete allá con los demás...

—Pero ¿qué tiene Angélica?

—Ella está bien. Luego hablamos. Anda, vete.

Me acerqué a los demás para decirles lo que había oído.

Entonces Quique preguntó:

—¿Se va a poner bien?

Pilar se adelantó y le contestó:

—Claro que se va a poner bien –y, mirándome, me preguntó–: ¿Verdad?

—Dicen que está en coma.

Todos exclamaron:

—¿En coma?

Roxana entonces dijo:

—¡Anda...!

Todos la miramos.

—Una vez vi una película de eso.

René preguntó:

—¿Y qué es?

—No estoy segura, pero la gente a la que le

da se queda dormida y a veces despierta, pero a veces no.

No nos quedó muy claro, pero sí entendimos una cosa. Si lo que Roxana decía era cierto, eso explicaba la preocupación de todos los adultos. Si Angélica no despertaba nunca, era lo mismo que si no estuviera viva.

Yo quise creer que la cosa no era tan grave, pero de pronto mi madre me llamó y también las demás madres a todos los demás.

Nos sentamos en la cafetería del hospital. Pidió un chocolate para mí, y para ella, su amado café. Mientras se lo preparaba me sonrió.

—Creo que te das cuenta de lo traviesos que habéis sido, pero no estoy enfadada porque habéis hecho algo muy bueno. Por una amiga. Claro que no sé si hubiera sido mejor que nos hubierais dicho primero a nosotros... no sé...

Hizo una pausa:

—Tu hermana está bien. Solo se ha roto el hombro.

—¿Y Angélica? –pregunté. Me urgía saber qué tenía.

—No quiero mentirte –me dijo, y tomó un sorbo de su café–. Angie está en un estado que hace que el cuerpo se quede dormido. Y no es fácil despertarla, ella tiene que hacerlo sola. Lo malo es que puede que no despierte.

Sentí que unas lágrimas querían salírseme, así que tomé chocolate.

—Pero no te pongas triste. Los doctores creen

que va a despertar pronto. Y debemos tener esperanzas, ¿no? Tienes que ser optimista.

Esto último me lo dijo mientras acariciaba mi cabello.

—Tu hermana va a quedarse a dormir esta noche en el hospital. Y yo me voy a quedar a acompañarla. Si Angie despierta, yo te llamo por teléfono, pero vete a casa con papá. Mañana tienes escuela.

Abracé a mi madre. Otra vez mi mente estaba como una pizarra borrada, pero además ahora tenía un hoyo en el estómago. Ni siquiera el chocolate me supo bien.

13

Lo único bueno de haberme fracturado el hombro es que pasé la noche en el hospital. Mi madre me explicó que mi amiga, por falta de agua y comida, cayó en un sueño muy profundo del que no se puede despertar fácilmente. Y no se sabe en qué momento se puede despertar; puede ser en una hora o en cinco años.

Ya no pude a ver a mis amigos. Me dieron de comer en la cama del hospital y después mamá me dijo que iba quedarse conmigo y con Angie esa noche. Le pregunté si podía ver a mi amiga, pero los doctores no lo permitían todavía. Y también me dijo algo que yo no sabía: la madre de Angie sí estaba enferma de algo que afectaba a su memoria y por eso tenía todas esas etiquetas en su casa, porque ya estaba olvidándose hasta del nombre de las cosas más simples. Ya habían hablado con su hermana para que viniera. Entonces a mí se me escapó:

—Mildred.

—Sí. ¿Cómo lo sabes?

—Angie me lo contó –le contesté. Era una historia muy larga explicarle toda la verdad.

Entonces mi madre hizo que yo comprendiera algo: tal vez la señora ni siquiera se había dado cuenta de que había encerrado a Angie. Tal vez mi amiga se había encerrado en el desván a leer y cuando quiso salir ya no pudo, porque su madre había corrido el pasador sin darse cuenta. Mi madre me dijo que descubrieron que Angie había subido con un plato de galletas y una botella con un poco de agua, que eso le había salvado la vida.

Luego yo le conté a mamá toda la aventura y ella me ayudó a entender que Alfredo se había puesto mi vestido para remplazarme y poder distraerla.

Esa noche no pude dormir. No por el dolor del brazo (me habían dado unas pastillas muy buenas), sino porque estaba intranquila sabiendo que Angie estaba en el mismo hospital y yo aún no la había ido a visitar. Miré al sillón de al lado. Allí estaba mi madre dormida.

—Mamá, ¿estás dormida?

Sí. Estaba bien dormida. Entonces se me ocurrió. Había oído que Angie estaba en el cuarto piso, en algo llamado "Cuidados intensivos". Miré el reloj. Eran las dos de la mañana. No se oían ruidos. A veces una enfermera pasaba por el pasillo, pero nada más. No podía desaprovechar esa oportunidad. Me puse de pie, me calcé las pantuflas que me había traído mi madre y, sin hacer ruido, salí de la habitación. Miré a ambos lados. No venía nadie. Entonces, a paso silencioso pero rápido, como los de una bailarina de ballet, llegué hasta las escaleras y bajé hasta el cuarto piso. Ahora venía lo difícil: ¿Dónde estaba "Cuidados intensivos"? Caminé por los pasillos, solo había números en los cuartos: 402,

404, y del otro lado: 405, 407. Entonces vi un gran vidrio que iluminaba todo el pasillo más adelante, y una puerta en la que se leía: "Cuidados intensivos". Ahí debía ser. No pude abrir la puerta, pero al asomarme por la ventana, la pude ver. Allí estaba Angie, recostada con los tubos conectados a sus brazos. Y con esa misma imagen de enferma pensé que debía de haberse visto Blancanieves en su caja de cristal: blanquísima y con esa paz en la cara. Pegué la cara al vidrio y di unos golpecitos. Quería decirle a Angie que despertara, pero no parecía escucharme. Oí unos pasos. Tal vez era un doctor o una enfermera. Me despedí de mi amiga y me fui de allí.

Esa noche soñé con ella. Las dos teníamos nuestras cometas y después de correr con ellas, de pronto volábamos. Nos divertíamos haciendo piruetas en el aire, luego llegaban Roxana y Pilar y también volaban con nosotras. Después nos quedábamos tumbadas sobre las flores de una colina. Angie nos decía:

—Qué bien estamos aquí, ¿no?

Y yo le respondía:

—Sí, pero es solo un sueño.

—¿Y qué? Si pudiera me quedaría aquí para siempre.

Entonces yo le quería decir que no debía quedarse dormida y soñando, pero se ponía de pie y se iba volando. Intentaba alcanzarla y le gritaba que me esperara, pero no me escuchaba.

Desperté y me dio miedo. Por primera vez, mi sueño favorito no me gustaba. Yo no quería que Angie se quedara allí para siempre.

14

Con todas aquellas emociones y al día siguiente tuvimos que ir a la escuela. Lo único bueno es que en vez de regañarnos por lo del jueves, nos perdonaron y nos convertimos en los héroes de la clase. Todos querían que les contáramos el rescate de Angélica. En el recreo, cada uno de nosotros explicaba a su manera la misión. Desde lejos se veía a René describiendo el tiro milagroso que había abierto el desván. Quique no dejaba de contar cómo dirigió con pericia toda la operación gracias a la ayuda del *walkie-talkie* –pero nunca habló del bicarbonato–, así como yo tampoco confesé lo del vestido, y además les pedí a los demás que se olvidaran de ese asunto cuando narraran la historia. Cada uno de nosotros contó todo como unas cinco veces o más. Era divertido ser el centro de atención, pero yo no dejaba de estar intranquilo, me preocupaba que Angie no despertara.

Quien se había portado de forma muy valiente era mi hermana. Se rompió el brazo y ni siquiera había llorado. Todo el tiempo estuvo alerta por su amiga.

Esa tarde, cuando llegó a casa por fin, le pregunté con la mirada lo que ella sabía que iba a preguntar y Susana, también con la mirada, me respondió lo que ya me temía: no había despertado aún.

14

Ya estábamos a martes y no había noticias de Angie.

Todos los días soñaba lo mismo. Y todas las veces Angie no me dejaba decirle que no se quedase en ese sueño para siempre. Había llegado a pensar que me podía meter en el sueño de Angie y que era mi deber sacarla de él. Había llegado a creer, por requeteloco que suene, que podía comunicarme con ella en mis sueños.

El miércoles el sueño fue igual, pero la Susana del sueño se enfadó con la Angie del sueño en el momento en que esta dijo:

—Qué bien estamos aquí, ¿no?

Por fin, Susana le dijo:

—No. No estamos bien aquí.

Tomé mi cometa y me fui junto con Roxana y Pilar. Angie nos dijo:

—No seáis tontas. Aquí todo es perfecto. No hay escuela, no hay castigos, ¿por qué queréis regresar a vuestras casas?

—Porque ahí está la gente que nos quiere.

—Yo no tengo a nadie.

—Nos tienes a nosotros.

—Tengo miedo de estar sola.

—No estás sola. La gente que tiene amigos nunca está sola.

Entonces me desperté muy agitada. Ojalá hubiera podido decirle a Angie personalmente eso. Ojalá hubiera sido el sueño de las dos y me hubiera escuchado.

Pero siguió sin despertar: el miércoles y el jueves. Y yo dejé de soñar con ella. Y comencé a hacer mis tareas, sin detenerme tanto a pensar en mi amiga. Noté que a los demás les pasaba lo mismo y me sentí culpable.

Esa noche no podía dormir. Otra vez me puse a pensar en eso de que si la muerte es dejar de existir o dejar de respirar. Si Angie no despertaba y nosotros la olvidábamos, entonces sería como si estuviera muerta. Me revolví en la cama prometiéndome no olvidarla y así evitaría que muriera.

Fue cuando menos lo esperaba. Estaba teniendo ese sueño que no me gusta nada de una ola gigante que se lleva todas las casas, cuando sentí que mi mamá me despertaba:

—Adivina quién quiere verte.

15

YA había pasado una semana. Y, la verdad, no me resignaba a creer que Angélica jamás despertaría. Entre nosotros ya no hablábamos de eso. Los clubes se quedaron sin hacer nada. Nadie tenía ánimos de hablar de exploradores. Apenas pude dormir esos días. La primera vez que una niña me gustaba y ahora ella tal vez nunca lo sabría.

Fue el viernes o el jueves de madrugada cuando Susana me vapuleó para decirme:

—Ya se ha despertado.

No entendía lo que me decía. En mi sueño estaba siendo capturado por unos peligrosos luchadores de kung-fu. Lo repitió más claro:

—Angie se ha despertado.

Nos vestimos rapidísimo. Eran casi las cinco de la mañana, pero no nos importó. Llamamos a todos. No nos importó que el padre de Quique o la madre de René se pudieran enfadar; había que avisarlos a todos.

En menos de una hora ya estábamos todos en el hospital. El doctor que había atendido a Angie nos recibió y nos dijo:

—Vuestro esfuerzo no fue en vano, niños.

Estábamos muy nerviosos, pero muy contentos.

Era raro, antes no podía creer que Angie no fuera a despertarse y ahora se me hacía de lo más raro que lo hubiera hecho. No importaba si me ponía nervioso al estar con ella, quería verla.

Nos llevaron a otro lugar. Ya le habían dado un cuarto propio. Antes de entrar la vimos. Estaba recostada sobre un almohadón y una señora y su madre permanecían sentadas a un lado de su cama. Entonces Angélica miró hacia la ventana. Creí que nunca iba a volver a ver esos ojos verdes. Nos sonrió y le dijo algo a la señora, que al vernos nos hizo una seña con la mano para que entráramos. La madre de Angélica y la otra señora nos saludaron y después salieron.

Nadie podía decir nada. Nos acercamos a ella, rodeándola. Mi hermana fue la primera que se aproximó a abrazarla. Ella comenzó a llorar y luego Susana, y Roxana y Pilar y René y lo único que puedo decir a mi favor es que fui el último en llorar pero no lo pude evitar. Era cierto, era más fácil llorar que decir algo... lo que fuera.

15

No tardamos nada en llegar al hospital. Íbamos los seis. Estábamos tan emocionados que apenas podíamos hablar. El doctor que atendió a Angie nos saludó, preguntó muy amable por mi hombro, que ya estaba mucho mejor, y nos llevó al cuarto asignado para Angie. La vimos por el cristal de la ventana. Era maravilloso. Por un momento creí que no la iba a volver a ver sonreír. En cuanto nos vio, se alegró. Antes de entrar nos habían presentado a la famosa tía Mildred, que estaba al cuidado de Angie y de su madre.

Fui la primera en ir hasta mi amiga y abrazarla, no me importó que mi hombro estuviera vendado. Fue inevitable. Nos miramos a los ojos y sonreímos sin saber qué decir, nos pusimos a llorar y todos los demás también. Podría apostar que hasta Alfredo lloró esta vez. Sobre todo cuando Angie nos dijo:

—Gracias, amigos. Sabía que me rescataríais.

A lo que le contesté:

—Así que ya te dijeron que fuimos nosotros.

—No. No era necesario.

Todos los demás nos miramos sin entender. Entonces ella lo aclaró:

—Pero ¿quién más podía haber sido?

Después nos contó lo débil que se sentía, y por fin pudimos explicarle cómo habíamos logrado rescatarla. Mientras le contábamos la misión, ella reía y lloraba sin parar. Le dijimos cómo Quique había descubierto lo de la clave Morse, cómo Pilar había cargado ella sola con una cómoda llena de cosas para ponerla bajo la entrada del desván, cómo René había abierto con un lanzamiento de béisbol la puerta, cómo Roxana había sido la que había descubierto el desván y había convencido a los demás de que se fugaran de la escuela, y cómo Alfredo se había disfrazado con mi vestido para suplantarme y engañar a mi madre y a la suya. Y cuando se enteró de que me había roto el hombro, me cogió de la mano y volvió a llorar.

Luego vino su turno. Nos contó que la noche del viernes había querido leer un rato y se había subido a su rincón favorito un poco de agua y unas galletas, junto con el libro de cuentos que le había prestado; se puso a leer, se quedó dormida y por la mañana se dio cuenta de que la puerta estaba cerrada. De nada servían sus gritos y golpes: su madre no la oía.

—Mi madre me encerró. No se dio cuenta de que yo estaba ahí. Luego... se olvidó de mí –dijo.

Me sentí mejor al saber que su madre no había tenido la culpa. Pero con tristeza, Angie continuó:

—De todas formas me he dado cuenta de que es peligroso que viva yo sola con ella.

Entonces su rostro se puso serio y nos dio una noticia terrible:

—Vamos a ir a vivir con mi tía. Solo estando con ella mi madre puede estar segura. Mamá no aceptaba su enfermedad, pero ahora con esto ya ha comprendido que necesita ayuda.

Yo no pude evitar decir:

—¿Te vas a ir?

—Pero podemos escribirnos o chatear. Además, mi tía no vive muy lejos. De vez en cuando podemos vernos.

René dijo, casi llorando:

—Te vamos a extrañar.

Nadie habló. Entonces, Angie nos miró y, sonriendo, dijo con optimismo:

—Bueno, no vamos a dejar que nuestra amistad la terminen unos cuantos kilómetros. Vosotros me salvasteis y ahora no os vais a librar de mí tan fácilmente.

16

GRACIAS a Angie entendí lo que era tener un amigo. No se trataba solo de alguien con quien puedes jugar al fútbol o que puede entenderte cuando le hablas de los peligros del mundo que salen en el videojuego de Woo-Kwen-Tai. Es alguien en quien puedes confiar y que nunca te abandonará.

No me gustó saber que Angie ya no estaría todos los días con nosotros, pero era para su bien. Ir a vivir con su tía las iba a ayudar a ella y a su madre a estar seguras. También entendí que dependía de nosotros el que nunca dejáramos de vernos. ¡Quién sabe! Tal vez hasta un día me podía animar a decirle que me gustaba.

Todavía hablé con ella una vez más antes de que se fuera a vivir con su tía.

Invitamos a Angie y a su madre, y a todos los demás, a nuestra casa, a comer una barbacoa de despedida. Jugamos, conversamos, y en un momento dado subí a mi cuarto a buscar un jersey y de pronto apareció ella en la puerta. Entró y se sentó en mi cama. Yo hice lo mismo. Me miró y nunca me pareció haberla visto más guapa. Sus ojos estaban increíblemente brillantes y su cabello de tan rojo parecía encendido. Y, por raro que parezca, yo ya no tenía la pizarra de mi cabeza en blanco.

—Nunca voy a olvidar lo que hiciste por mí.

—Todos lo hicimos.

—No. No todos se pusieron un vestido para rescatarme. Aunque suene raro, te portaste como todo un hombre.

—Claro, un hombre con florecitas.

—Como sea. Es lo más romántico que han hecho por mí.

Entonces, sin que me lo esperara, me dio un beso. No puedo decir ni siquiera cómo estuvo. Una vez había besado a una niña en tercero, pero la verdad es que solo nos babeamos. Ahora fue muy diferente. Pero no fue el beso, lo que me gustó fue que ella me lo hubiera dado. Esto nunca se lo iba a decir a nadie... mucho menos a René.

Me sonrió. Se levantó y se fue.

No, no podía dejar que esa niña desapareciera de mi vida. Tal vez hasta éramos novios. No sé.

Ese día mi tío nos prometió llevarnos a todos a una excursión a la Presa Iturbide, y Angie también iba a ir. Ahora estoy esperando con ansia ese día. Faltan como dos semanas, pero confieso que estoy tachando los días en mi calendario.

Solo me falta decir que ya no seguimos con la competencia de los clubes. Decidimos hacer uno solo: El Club de las Amazónicas y los Exploradores de Orión... Sí, es cierto, tenemos que pensar en un nombre mejor, pero este era el más fácil...

16

TODAVÍA nos reunimos todos con Angie en la comida de despedida que le organizamos a ella y a
su madre; jugamos un rato y comimos la carne que
trajo mi tío y que mi padre se encargó de hacer en
la barbacoa.

Yo estaba muy triste porque sentía que, a pesar
de Internet y de que uno que otro fin de semana
nos íbamos a poder ver, estaba perdiendo a una
amiga.

En un momento de la fiesta, Angie me pidió que
la acompañara a su casa, bueno, a la que era su
casa. Atravesamos la calle y pude ver, al entrar, que
ya estaba completamente vacía. Los de la mudanza
habían llegado unas horas antes. En la sala solo había unas cuantas cajas y maletas. Miré por todos
lados. Ella se puso a buscar algo en las maletas.
Me asomé entonces a las escaleras, miré la cocina
y la puerta del sótano. Todo parecía tan extraño, tan
diferente del día del rescate. Y pensar que apenas
habían pasado dos semanas.

Regresé a donde estaba mi amiga, que finalmente
había encontrado lo que buscaba: el libro de cuentos que le había prestado. Me lo dio.

—No. Te lo regalo –le dije.

Ella lo abrazó.

—Gracias –dijo. Y después de un momento continuó–: Cuando estaba allí sola, y me di cuenta de que mamá por su enfermedad me había olvidado, y pensaba que no iba a salir nunca, miraba este libro y me decía: "No, Angélica. Hay gente allí afuera que te quiere y te va a extrañar. Solo tienes que esperar". Este libro siempre me recordará que la gente con amigos nunca está sola.

Me acordé en ese momento de mi sueño y le pregunté:

—Oye. Cuando estabas dormida... ¿qué soñabas?

Se quedó pensativa y me dijo:

—Debo de haber soñado algo, pero la verdad no me acuerdo.

Nos quedamos un rato mirando por última vez las paredes de la vieja casa.

Hoy estoy por fin hablando a través del ordenador con Angie. Es increíble esto de chatear. Es como si tuvieras a la persona enfrente de ti. Mi madre ya me ha dado permiso para usar el ordenador, siempre y cuando lo haga entre las seis y las ocho de la tarde y haya terminado mi tarea.

Angie me ha contado que su escuela nueva no es tan mala, pero todavía no tiene amigos:

» Es cosa de tiempo, ya sabes.

» Sí. Pero la verdad es que os extraño mucho a todos.

» Todos aquí te extrañamos también.

» ¿Cómo estáis?

» Igual. Ya sabes. Roxana sigue comprándose vestidos, Pilar sigue yendo al gimnasio, René ya se ha convencido de que su verdadero amor es Roxana, Quique sigue con sus jueguecitos de guerra y Alfredo...

» ¿Qué pasa con Alfredo?

» Él sí ha cambiado. La idea de unir los clubes fue de él y hoy... bueno, es una tontería, pero hoy me ha dado de su comida en la escuela.

» ¡Qué bien! Me hace ilusión que os llevéis mejor...

» Sí. Seguro que te escribe ahora. Ya tiene e-mail.

» Tengo unas ganas de que llegue el día de la excursión a la que nos invitó tu tío.

» Sí. Yo también quiero que llegue. Hasta soñé con ella.

» Pues hablando de sueños, el otro día tuve uno muy bonito: soñé que volaba junto a muchas cometas.

» Yo tuve un sueño muy parecido cuando estabas dormida.

» ¿Ves cómo los amigos no se pueden abandonar? Hasta en los sueños se te aparecen.

Me quedé un momento pensando. Angie tenía razón, quizá la amistad era tan poderosa que podía hacernos compartir nuestros sueños, aunque se tratara de cometas, una colina de flores y un vuelo por los aires.

Esa noche cogí mi cuaderno de matemáticas de la alacena y se lo pasé a mi hermano sin que mamá nos viera.

TE CUENTO QUE JAVIER MALPICA...

... desde muy pequeño admiraba a Albert Einstein y eso le llevó a matricularse en la carrera de Físicas. Pero pronto comprendió que un científico de la talla de Einstein no era suficiente para amar las leyes y los números, y que su verdadera vocación era la escritura. Una vez subsanado el error, Malpica fue bastante más feliz; tan feliz como cuando monta obras de teatro, toca el bajo eléctrico en una banda de jazz, ve películas que le gustan o acude a un partido de fútbol.

Perseverante y muy amigo de sus amigos, Javier Malpica tiene tres colores favoritos, depende de para qué: el verde si se trata de los ojos de una chica; el negro a la hora de vestirse, y el azul para pintar las paredes de su casa.

Javier Malpica nació en México en 1965 y estudió creación literaria en la Sociedad General de Escritores de esta ciudad. Además de libros infantiles, el autor escribe también obras de teatro y guiones de cine, por los que ha alcanzado importantes galardones en su país. Por *Pandillas rivales* Malpica obtuvo en 2002 el premio El Barco de Vapor de México.

¿QUIERES LEER MÁS?

SI TE GUSTA **PANDILLAS RIVALES** PORQUE DESCRIBE MUY BIEN LAS RELACIONES ENTRE PADRES E HIJOS, TAMBIÉN TE GUSTARÁ **LAS PRINCESAS SIEMPRE ANDAN BIEN PEINADAS,** que narra de una manera muy divertida las cosas tan raras que pasan en una familia cuando la hija mayor cae perdidamente enamorada de un compañero de colegio.

LAS PRINCESAS SIEMPRE ANDAN BIEN PEINADAS
M. B. Brozon
EL BARCO DE VAPOR, SERIE NARANJA, N.º 167

SI ESTÁS DE ACUERDO CON ALFREDO Y SUSANA EN QUE LAS PANDILLAS FORMADAS POR CHICOS Y CHICAS SON MÁS DIVERTIDAS Y ENRIQUECEDORAS, LÉETE **EL CLUB DE LOS COLECCIONISTAS DE NOTICIAS,** la historia de una pandilla que se pasa el día recopilando noticias y hechos divertidos.

EL CLUB DE LOS COLECCIONISTAS DE NOTICIAS
Paul Zindel
EL BARCO DE VAPOR, SERIE NARANJA, N.º 128

Y TAMBIÉN LO PASARÁS GENIAL CON OTRO LIBRO DE PANDILLA, **CLETA Y YO**, que describe el cambio que se produce en Cleta, una niña acostumbrada a vivir en París, cuando tiene que regresar a Madrid y cambiar de colegio.

CLETA Y YO
Paloma Bordons
EL BARCO DE VAPOR,
SERIE NARANJA, N.º 148

SI TE PARECE QUE LA ACTUACIÓN DE LA PANDILLA PROTAGONISTA ES FUNDAMENTAL PARA SOLUCIONAR LOS PROBLEMAS DE ANGIE Y DE SU MADRE ENFERMA, LÉETE **MI ABUELO ERA UN CEREZO** y verás que también Toño, el protagonista de ese libro, consigue que su abuelo pase por momentos verdaderamente felices antes de morir.

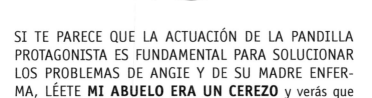

MI ABUELO ERA UN CEREZO
Angela Nanetti
EL BARCO DE VAPOR, SERIE NARANJA, N.º 135